GLENCOE SPANISH 3

De viaje

Chapter Quizzes
with Answer Key

GLENCOE
McGraw-Hill

New York, New York   Columbus, Ohio   Mission Hills, California   Peoria, Illinois

Glencoe/McGraw-Hill

A Division of The **McGraw·Hill** *Companies*

Printed in the United States of America.

Send all inquiries to:
Glencoe/McGraw-Hill
15319 Chatsworth Street
P.O. Box 9609
Mission Hills, CA 91346-9609

ISBN 0-02-646365-2

2 3 4 5 6 7 8 9   BAW   02 01 00 99 98 97

CAPÍTULO

1

QUIZ A

CULTURA

Lugares de interés turístico

A Escoja lo contrario. (5 pts.)

1. ____ el cerro
2. ____ estrecho
3. ____ acudir a
4. ____ manso
5. ____ placentero

a. volver
b. desagradable
c. el cañón
d. feroz
e. ancho

B Complete con una palabra apropiada. (5 pts.)

1. Muchos _____ viven al borde del Océano Antártico. Son buenos nadadores.

2. Las _____ egipcias son muy famosas.

3. Una _____ detiene el agua de un río.

4. Mucha gente que vive en el estado de Tejas es de _____ mexicana.

5. En el verano los alumnos _____ de las vacaciones.

CAPÍTULO

1

QUIZ B

CONVERSACIÓN

Un vuelo anulado

■ Complete con una palabra en paréntesis. (10 pts.)

1.-3. Te debo veinte dólares. Ahora te puedo _____ el

_____ porque recibí un cheque para mi cumpleaños.

Pero primero voy a _____ los cinco dólares que tú me

debes. (deducir / monto / reembolsar)

4.-6. Hay un _____ en la _____.

El tráfico anda muy mal a causa de la _____. (autopista /

embotellamiento / tempestad)

7.-10. La señora tiene _____. No quiere _____ el avión.

Entonces no toma el autobús. Busca un taxi en la _____ de taxis.

Ella espera que su vuelo no salga con una _____. (demora / parada /

perder / prisa)

CAPÍTULO
1

QUIZ A

ESTRUCTURA I

El pretérito

Complete con el pretérito. (10 pts.)

La semana pasada mis amigos y yo _____ (comer) en casa de Jorge. José
$\underset{2}{}$

_____ (dar) una fiesta divertida. En la fiesta yo _____ (ver)
$\underset{2}{}$ $\underset{3}{}$

a mi amiga Josefina. Pero Jorge no _____ (invitar) a Pedro. Yo
$\underset{4}{}$

_____ (buscar) unos vasos. Tú _____ (preparar)
$\underset{5}{}$ $\underset{6}{}$

una ensalada deliciosa. Catalina y Rafael _____ (abrir) unas botellas
$\underset{7}{}$

de agua mineral. ¿_____ (beber) Uds. agua mineral o limonada? Jorge
$\underset{8}{}$

_____ (tocar) la guitarra y los amigos _____ (bailar)
$\underset{9}{}$ $\underset{10}{}$

después de cenar.

QUIZ B

ESTRUCTURA I

El pretérito de los verbos de cambio radical

Complete con el pretérito del verbo apropiado. (10 pts.)

1.-2. El cocinero _____ (freír / sonreír) las papas y el camarero se las

_____ (sentir / servir) al señor.

3. Después de comer todas las papas, el señor se _____ (freír / sentir) muy mal.

4. Él se _____ (dormir / sentir) en seguida.

5. Desafortunadamente el señor _____ (morir / sonreír) durante la noche.

6. Los estudiantes le _____ (pedir / repetir) ayuda al profesor con el examen.

7. El profesor les _____ (seguir / sugerir) a los estudiantes que estudiaran más.

8. El sastre (*tailor*) _____ (medir / seguir) la cintura del cliente.

9.-10. Yo _____ (medir / sonreír) cuando tú _____ (sentir / repetir) la historia.

QUIZ C

ESTRUCTURA I

El pretérito de los verbos irregulares

■ Complete con el pretérito del verbo apropiado. (15 pts.)

1.-4. Cuando yo _____ que Guido _____ un accidente,

yo _____ llamarlo. El médico le _____ la pierna

en un yeso. (poner, querer, saber, tener)

5.-8. Los turistas _____ en la jungla de Petén ayer. Ellos

_____ por las ruinas mayas pero ellos no _____

subir a la pirámide porque _____ demasiado difícil. (andar,

estar, poder, ser)

9.-12. ¿Yo te _____ lo que hice? Yo no _____ mis libros

ayer. No los _____ en mi mochila antes de salir. Por lo tanto, yo no

_____ hacer mi tarea. (decir, poder, poner, traer)

13.-15. Nosotros _____ al cine anteayer. Rosa _____ a

buscarnos. Rosa _____ el coche de su madre. (conducir, ir, venir)

QUIZ A

PERIODISMO

San Ángel

A Complete con una palabra apropiada. (5 pts.)

El sábado pasado fui al bazar que está _____ en la Plaza Mayor.

Compré muchas cosas y tomé muchas _____. A mi mamá, le

gustan las joyas mexicanas, entonces le compré un _____

elegante. Ella podrá llevarlo en un vestido o una blusa. A mi hermano menor le compré un

_____ hecho de un trozo de madera. A mí me gusta

comprar ropa, entonces me compré una _____ muy bonita. Podré

llevarla con una falda o unos pantalones. Disfruté del ambiente placentero en el bazar.

B Exprese de otra manera. (5 pts.)

1.-2. Los turistas *andan* por la calle *estrecha*.

_____

3.-4. El *artista* está dibujando *un dibujo cómico*.

_____

5. El vendedor está vendiendo *joyas para las orejas*.

_____

CAPÍTULO
1

QUIZ B

PERIODISMO

El AVE

Exprese de otra manera. (5 pts.)

1. El tren *hace* el trayecto Madrid-Valencia.

   _____

2. Los niños que están jugando y corriendo en el jardín son muy *clamorosos*.

   _____

3. A mí me *gusta* viajar en tren.

   _____

4.-5. El *lavatorio* en el tren tiene un *retrete* y un lavamanos.

   _____

CAPÍTULO

1

QUIZ C

PERIODISMO

El tiempo

A ¿Cuál es el mejor tiempo? Indique la severidad del tiempo con las letras "a" a "e": a=mejor, e-peor. (5 pts.)

1. _____ un aguacero

2. _____ un chubasco

3. _____ un día despejado

4. _____ un huracán

5. _____ un temporal

B De la palabra o expresión que se define. (5 pts.)

1. _____ la lluvia en forma de hielo

2. _____ la lluvia helada en copos

3. _____ la tormenta

4. _____ el cielo sin nubes

5. _____ lo que hace el viento

CAPÍTULO

1

QUIZ A

ESTRUCTURA II

La formación del subjuntivo

◼ Complete con el subjuntivo. (15 pts.)

1. La madre quiere que su niño _____ (comer) muchas legumbres.

2. El niño quiere que su mamá no le _____ (servír) legumbres.

3. La madre espera que su niño no _____ (estar) enfermo.

4. Nuestro padre insiste en que mis hermanos y yo _____ (dormir) a lo menos ocho horas.

5. Él quiere que nosotros _____ (levantarse) a las siete de la mañana.

6. Queremos que el profesor nos _____ (dar) las respuestas del examen.

7. El profesor quiere que los alumnos _____ (oír) lo que él les dice.

8. El profesor insiste en que nosotros no le _____ (pedir) ayuda durante un examen.

9. El profesor insiste en que los alumnos _____ (sacar) un lápiz antes de tomar el examen.

10. El muchacho quiere que su amigo le _____ (decir) la verdad.

11. Yo quiero que tú _____ (saber) cómo me siento ahora.

12. Quiero que tú _____ (volver) a casa ahora.

13. ¿Quieres que yo _____ (ir) contigo?

14. La esposa quiere que su esposo no _____ (perder) sus llaves.

15. Ella quiere que él las _____ (poner) en su bolsillo.

QUIZ B

ESTRUCTURA II

El subjuntivo con expresiones impersonales

Complete con el subjuntivo. (5 pts.)

1. Es posible que _____ (haber) chubascos hoy.

2. Es importante que los meteorólogos _____ (pronosticar) el trayecto de un huracán.

3. Es necesario que _____ (haber) una nevada buena en las montañas en el invierno para que no haya sequía (*drought*) en el verano.

4. Es probable que _____ (hacer) buen tiempo hoy.

5. Es improbable que el viento _____ (soplar) a más de siete millas por hora.

QUIZ C

ESTRUCTURA II

El subjuntivo en cláusulas nominales

Complete con el subjuntivo. (5 pts.)

1. El recepcionista manda que el botones _____ (subir) el equipaje.

2. El turista desea que la camarera _____ (cambiar) las sábanas esta mañana.

3. Yo espero que el hotel no _____ (estar) completo.

4. Temo que la habitación no _____ (tener) televisión.

5. El cajero prefiere que nosotros _____ (pagar) con cheques de viajero.

QUIZ D

ESTRUCTURA II

Sustantivos masculinos que terminan en **a**

█ Complete con el artículo definido. (10 pts.)

1.-2. ¿Recibiste _____ carta o _____ telegrama?

3.-4. El sábado y el domingo son _____ días de _____ semana que me gustan más.

5.-6. Mucha gente cree que _____ clima de _____ planeta está cambiando.

7.-8. Tengo _____ mapa en _____ mano.

9.-10. _____ tema de _____ drama que estoy leyendo es la muerte.

QUIZ E

ESTRUCTURA II

Sustantivos femeninos en a, ha *inicial*

■ Complete con el artículo definido. (10 pts.)

1.-2. _____ hacha es un utensilio muy útil, pero _____ hachas son peligrosas.

3.-5. _____ ala del halcón no es tan grande como _____ ala _____ águila.

6.-7. _____ hambre es _____ problema más serio del mundo hoy.

8.-9. _____ represa detiene _____ agua del río.

10. _____ aguas minerales francesas son muy populares.

CAPÍTULO

1

QUIZ A

LITERATURA

¡Al partir!

A ¿Sí o no? Corrija las oraciones falsas. (5 pts.)

1. El oído es el sentido de los ojos. ____

_____

2. Se ven muchas estrellas al mediodía. ____

_____

3. Durante una tempestad las olas son muy grandes. ____

_____

4. El buque de vela es un medio de transporte muy moderno. ____

_____

5. Los barcos viajan por mares, ríos o lagos. ____

_____

B Escoja lo contrario. (5 pts.)

1. ____ el cielo   **a.** glacial

2. ____ alzar   **b.** volver

3. ____ el dolor   **c.** el suelo

4. ____ ardiente   **d.** la alegría

5. ____ partir   **e.** bajar

QUIZ B

LITERATURA

El viaje definitivo

A Complete con una palabra apropiada. (5 pts.)

1. Oigo las campanas sonar en el _____.

2. Busco agua en el _____.

3. La madre manda que el niño malcriado se siente en el _____ de la sala.

4. La terminal del aeropuerto es un lugar ruidoso. No es un lugar _____.

5. Hay un _____ de manzanas en el huerto.

B Exprese de otra manera. (5 pts.)

1.-2. Los *aves* cantan en el *jardín*.

_____

3.-4. Tengo que *salir* ahora. No puedo *permanecer*.

_____

5. ¿Me *quieres*?

_____

QUIZ C

LITERATURA

Turismo y cultura

A Exprese de otra manera. (5 pts.)

1.-3. El *profesor universitario* le *da* al estudiante la nota de *aceptado*.

_____

4.-5. Los turistas visitan *la estatua* del general *famoso*.

_____

B Escoja el sinónimo. (5 pts.)

1. _____ de regreso   **a.** el bosque

2. _____ actual   **b.** el cesto

3. _____ la selva   **c.** la niebla

4. _____ la neblina   **d.** presente

5. _____ la canasta   **e.** de vuelta

QUIZ A

CULTURA

La vida diaria

■ Complete con una palabra apropiada. (10 pts.)

1. Él es un _____ bueno; su equipo ganó muchos partidos el año pasado.

2.-3. Se puede obtener lana de las _____ y las _____.

4.-6. Primero, el agricultor _____ el maíz. Segundo, cuando no

llueve, él _____ el maíz. Después de unos meses, el agricultor

_____ el maíz para venderlo.

7. Las hamburguesas y las papas fritas son unas comidas _____.

8. Mi mamá no trabaja fuera de la casa. Ella es _____.

9. No es fácil ser agricultor; todos los días hay muchas _____ que hacer.

10. Después del huracán, los _____ del pueblo destruido tuvieron que

ayudarse el uno al otro.

CAPÍTULO

2

QUIZ B

CONVERSACIÓN

Planes para hoy

■ Escoja el sinónimo. (5 pts.)

1. _____ insuficiente

2. _____ malcriado

3. _____ el metro

4. _____ la melena

5. _____ meterse con uno

a. el subterráneo

b. el pelo largo

c. descortés

d. aprobado

e. pelear

Nombre _____ Fecha _____

QUIZ A

ESTRUCTURA I

El imperfecto
Los verbos regulares

◼ Complete con el imperfecto. (15 pts.)

Los sábados cuando yo era joven, me _____ (gustar) ayudar a mi

abuela a cocinar. Primero, nosotros _____ (ir) al mercado y

_____ (comprar) lo que nosotros _____

(necesitar). En la cocina ella _____ (preparar) ensaladas deliciosas. Ella

_____ (limpiar) la lechuga y yo _____ (pelar)

las zanahorias, y entonces yo las _____ (rallar). Nosotros

_____ (agregar) pepino, tomate y aguacate. Además, mi abuela

_____ (poner) una sartén al fuego y ella _____

(freír) un pollo y unas papas. Finalmente, nosotros _____ (comer)

la cena juntos. Nos _____ (gustar) beber agua mineral con la

cena. Mi abuela _____ (ser) una cocinera muy buena. Yo la

_____ (querer) mucho.

CAPÍTULO

QUIZ B

ESTRUCTURA I

El imperfecto y el pretérito
Acción repetida y acción terminada

A Complete con el pretérito o el imperfecto. (8 pts.)

1.-2. El año pasado la familia Gómez _____ (hizo / hacía) un viaje en avión.

Todos los años, la familia _____ (hizo / hacía) un viaje en coche.

3.-4. Cada semana Cristóbal _____ (fue / iba) al cine. Ayer por la noche él

_____ (fue / iba) al teatro.

5.-6. El tren _____ (salió / salía) siempre a tiempo. Esta mañana

_____ (salió / salía) con una demora.

7.-8. El lunes pasado le _____ (escribí / escribía) a mi abuela. Cada mes le

_____ (escribí / escribía).

B Complete con el pretérito o el imperfecto. (7 pts.)

1. Todos los veranos Juan _____ (nadar) en el mar.

2. Todos los días Catalina _____ (ir) a la playa.

3. El otro día Julio y Andrés _____ (ir) al cine.

4. Anoche nosotros _____ (ver) una película fantástica.

5. El viernes pasado yo _____ (comer) mariscos en un restaurante.

6. Uds. siempre _____ (llegar) a la escuela a las ocho y media.

7. Cada mañana mi hermana y yo _____ (salir) a las ocho para la escuela.

QUIZ C

ESTRUCTURA I

Dos acciones en la misma oración

█ Complete con el pasado. (20 pts.)

1.-2. Yo no _____ (estar) en casa cuando Juan _____

(llegar).

3.-4. Ayer mis amigos _____ (ir) al partido, pero yo _____

(ir) al cine.

5.-6. Mientras tú _____ (hacer) las tareas, yo _____

(mirar) un programa interesante.

7.-8. Mi mamá _____ (preparar) la cena cuando mi papá

_____ (entrar) en la cocina.

9.-10. Todos los sábados mi hermano _____ (levantarse) tarde

pero yo _____ (despertarse) temprano.

Nombre _____ Fecha _____

CAPÍTULO

2

QUIZ A

PERIODISMO

El servicio militar

A Escoja lo contrario. (5 pts.)

1. ____ orgulloso   **a.** inútil

2. ____ civil   **b.** atado

3. ____ útil   **c.** el temor

4. ____ suelto   **d.** humilde

5. ____ el valor   **e.** militar

B Exprese de otra manera. (5 pts.)

1.-2. *La banda* de soldados sale para hacer su *misión.*

_____

3.-4. El general *hace obvio* que es necesario tomar la misión *sin burla.*

_____

5. El paracaidista verifica su *bolsa de cuero.*

_____

QUIZ B

PERIODISMO

El primer día de clases

Complete con una palabra apropiada. (5 pts.)

1. El alumno no durmió anoche. Anda _____ al la escuela.

2. Cuando no sé si quiero comprar un libro, me gusta _____lo primero.

3. El sabor _____ es típico de la comida china.

4. El alumno pone sus libros en su _____.

5. Ella es _____ de sastre, todavía está aprendiendo a coser.

QUIZ A

ESTRUCTURA II

El subjuntivo con expresiones de duda

A Complete con el subjuntivo o el indicativo. (5 pts.)

1. ¿Crees que los novios _____ (se casarán / se casen)? Creo que ellos tienen muchos conflictos.

2. ¿Crees que las mujeres _____ (integrarán / integren) unidades de combate en el ejército norteamericano? Yo digo que es dudoso.

3. ¿Crees que el profesor nos _____ (dará / dé) un examen mañana? Mañana es viernes y siempre tenemos examen los viernes.

4. ¿Crees que Manuel _____ (recibirá / reciba) un coche para su cumpleaños? Sus padres se lo prometieron el año pasado.

5. ¿Crees que _____ (nevará / nieve) mañana? No veo nubes y no hace mucho frío.

B Complete con el subjuntivo o el indicativo. (10 pts.)

No dudo que el restaurante _____ (ser) bueno. Es cierto que el cocinero
1

_____ (saber) preparar una paella deliciosa. No estoy seguro que Rogelio
2

_____ (venir) con nosotros. Es dudoso que él _____ (poder)
3   4

salir esta tarde. Creo que él _____ (tener) un examen difícil mañana.
5

QUIZ B

ESTRUCTURA II

El subjuntivo con verbos especiales

Complete con el subjuntivo. (5 pts.)

1. Mis padres me dicen que _____ (volver) temprano.

2. Tu abuelo te pide que lo _____ (llamar) la semana que viene.

3. La profesora les aconseja que _____ (estudiar) más.

4. El médico le manda al enfermo que no _____ (comer) comida chatarra.

5. Nuestro padre nos exige que _____ (hacer) las tareas antes de salir con nuestros amigos.

CAPÍTULO

QUIZ C

ESTRUCTURA II

El subjuntivo con expresiones de emoción

■ Complete con el subjuntivo. (5 pts.)

1. Me sorprende que Pablo _____ (poder) salir esta noche.

2. ¿Estás triste que Pablo no _____ (venir) a la fiesta?

3. Es una lástima que tú no lo _____ (llamar) ahora.

4. Estoy contento que él _____ (saber) tu número de teléfono.

5. Me alegro de que Uds. _____ (ser) amigos.

Nombre _____ Fecha _____

CAPÍTULO

QUIZ A

LITERATURA

Sueños

Indique el lugar donde se puede encontrar las cosas siguientes. (10 pts.)

1. ____ los anteojos

2. ____ la cruz

3. ____ los pajarillos voladores

4. ____ la victrola

5. ____ los bigotes

6. ____ la hoja de afeitar

7. ____ la bomba de bencina

8. ____ el cadáver

9. ____ el aviso luminoso

10. ____ los pejerreyes

a. el cielo

b. la gasolinera

c. el cine

d. el ataúd

e. la iglesia

f. el mar

g. el museo

h. la cara

i. el baño

j. los labios

QUIZ B

LITERATURA

Los otros madrileños

A Exprese de otra manera. (5 pts.)

1.-2. El niño malcriado le *molesta* a su madre. Ella le *muestra enfado* al niño.

_____

3. La madre *cocina* una sopa en la estufa.

_____

4. La muchacha *pone* la mermelada en el pan.

_____

5. Las jóvenes de hoy *no aceptan* las ideas anticuadas de sus abuelas.

_____

B Dé la palabra que se define. (5 pts.)

1. _____ la vanidad

2. _____ distraer a una persona

3. _____ una sopa densa con legumbres y carne

4. _____ la excusa

5. _____ emitir un ruido de la boca después de beber o comer

CAPÍTULO
3

QUIZ A

CULTURA

El tiempo libre

A Indique el lugar donde se puede encontrar las cosas siguientes. (5 pts.)

1. ____ el cohete   **a.** el encierro

2. ____ el desfile   **b.** el cielo

3. ____ el toro   **c.** la acera

4. ____ el danzarín   **d.** la calle

5. ____ el peatón   **e.** la comparsa

B Complete con una palabra apropiada. (5 pts.)

1. El cuatro de julio es un día de _____ nacional en los Estados Unidos.

2.-4. Durante las fiestas de San Fermín, los _____ españoles llevan una

_____ en la cabeza y una _____ en la cintura.

5. El _____ _____ de Madrid es San Isidro.

QUIZ B

CONVERSACIÓN

El teatro

■ Complete con una palabra apropiada. (5 pts.)

1. El drama musical *Evita* fue muy popular. Fue un _____.

2. Los actores se visten en los _____ antes de entrar en escena.

3.-5. —Perdón, ¿puede Ud. decirme cuánto cuesta una entrada?

 —Sí, por supuesto. Hay tres precios: una butaca de _____ cuesta

 40 dólares; una butaca en el _____ _____ cuesta

 30 dólares; una butaca en el _____ cuesta 15 dólares.

Nombre _____ Fecha _____

CAPÍTULO

3

QUIZ A

ESTRUCTURA I

Verbos especiales con complemento indirecto

▮ Complete con el pronombre de complemento y la forma apropiada del verbo. (10 pts.)

1. Las películas de terror _____ (asustar) a los niños.

2. No soy muy paciente. A mí _____ (enfurecer) los embotellamientos.

3. A Juan le gustaría ir al cine y al teatro. A él no _____ (importar) adónde va.

4. Veo que compraste un libro sobre la historia española. ¿A ti _____ (interesar) la historia?

5. Preferimos escuchar la música popular. A nosotros no _____ (encantar) la música clásica.

QUIZ B

ESTRUCTURA I

Los verbos gustar y faltar

Forme oraciones completas en el presente. (10 pts.)

1. yo / gustar / cocinar

   _____

2. este guiso / faltar / sal

   _____

3. tú / gustar / la paella

   _____

4. mis amigos y yo / gustar / los desfiles

   _____

5. Julio y Jorge / faltar / las mochilas

   _____

QUIZ C

ESTRUCTURA I

Ser y estar

■ Complete con la forma apropiada de *ser* o *estar.* (10 pts.)

1.-2. Mi mejor amiga _____ de Tejas. Su casa _____ en la calle Bolívar.

3.-4. Los López _____ en España. A ellos les encanta viajar. Ellos _____ de ascendencia española.

5.-6. La profesora de español _____ de Honduras. Su familia todavía _____ en Tegucigalpa.

7.-8. ¿De dónde _____ tus aretes que _____ en la mesa?

9.-10. ¿Dónde _____ los dulces que _____ de México?

QUIZ D

ESTRUCTURA I

Característica y condición

◼ Complete con la forma apropiada de *ser* o *estar*. (10 pts.)

Mi amigo Pierre _____ de París que _____ la capital de Francia. Pierre
$\quad\quad\quad$ 1 $\quad\quad\quad\quad\quad\quad\quad\quad$ 2

_____ francés porque nació en Francia. Él _____ alto y delgado. También
$\quad$ 3 $\quad\quad\quad\quad\quad\quad\quad\quad\quad\quad\quad\quad$ 4

_____ inteligente y muy simpático. Hoy Pierre _____ muy contento porque
$\quad$ 5 $\quad\quad\quad\quad\quad\quad\quad\quad\quad\quad\quad\quad$ 6

_____ en mi casa. Mi casa _____ en Seattle. A Pierre le gusta viajar a los
$\quad$ 7 $\quad\quad\quad\quad\quad\quad\quad\quad\quad$ 8

Estados Unidos. Cada vez cuando él tiene que regresar a Francia, él _____ muy triste.
$\quad\quad\quad\quad\quad\quad\quad\quad\quad\quad\quad\quad\quad\quad\quad\quad\quad\quad\quad\quad\quad\quad\quad\quad\quad\quad$ 9

Nosotros _____ buenos amigos.
$\quad\quad\quad$ 10

QUIZ E

ESTRUCTURA I

Unos especiales de ser y estar

◼ Paree. (10 pts.)

1. _____ El profesor es listo.

2. _____ El profesor está listo.

3. _____ La señora es aburrida.

4. _____ La señora está aburrida.

5. _____ El señor es enfermo.

6. _____ El señor está enfermo.

7. _____ La muchacha es bonita.

8. _____ La muchacha está bonita.

9. _____ El niño es triste.

10. _____ El niño está triste.

a. Hace dos días que tiene la gripe.

b. A ella no le gusta el concierto.

c. Está en la puerta con los libros y la chaqueta.

d. Su perro murió ayer.

e. Lleva un vestido y un peinado nuevo.

f. Siempre está llorando y nunca sonríe.

g. Padece del corazón.

h. Sabe muchas cosas y comprende todo.

i. Ganó un concurso de belleza.

j. Ella siempre repite la misma historia muchas veces.

QUIZ F

ESTRUCTURA I

Ser de

■ Complete con la forma apropiada de *ser* o *estar*. (5 pts.)

¿De quién _____ el suéter que _____ en la butaca del teatro? El suéter
    1   2

_____ de lana y algodón. _____ un suéter elegante. ¡Yo sé! _____
    3   4   5

el suéter de mi amiga Paulina.

QUIZ G

ESTRUCTURA I

El imperativo

A Complete con el imperativo. Use la forma de *tú*. (5 pts.)

1. _____ al mercado. (ir)

2. No _____ al hipermercado. (ir)

3. _____ fresas, lechuga y frijoles. (comprar)

4. No _____ malcriado. (ser)

5. _____ las legumbres y frutas en un saco. (poner)

B Mande que hagan lo contario. Use la forma de *Ud.* o *Uds.* del imperativo según el modelo. (10 pts.)

Las chicas comen. No leen el libro.
No coman Uds. Lean Uds. el libro.

1. Los muchachos no estudian. Hablan.

   _____

2. La profesora lee el libro. No ayuda al alumno.

   _____

3. Los estudiantes no abren los libros. Comen en clase.

   _____

4. El señor no hace cola. Pierde la paciencia.

   _____

5. La señora no tiene cuidado. Conduce muy rápido.

   _____

CAPÍTULO
3

QUIZ A

PERIODISMO

El wind surf

A Indique el lugar donde se puede encontrar las cosas siguientes. (5 pts.)

1. _____ la vela   **a.** el pecho

2. _____ el chaleco salvavidas   **b.** los tenis

3. _____ el calzón   **c.** la tabla

4. _____ las suelas   **d.** el mar

5. _____ la onda   **e.** las piernas

B Dé la palabra o expresión que se define. (5 pts.)

1. _____ hacer ejercicio

2. _____ la onda

3. _____ dañar

4. _____ los que pesan pocos kilos

5. _____ los principiantes

QUIZ A

ESTRUCTURA II

Hace y hacía

▪ Forme oraciones completas según se indica. (10 pts.)

1.-2. Juan llegó a las once. Ahora son las dos.

hacer / horas / Juan / estar aquí

_____

3.-4. Yo empecé a estudiar español cuando tenía catorce años. Tengo diez y ocho años y todavía estudio español.

hacer / años / yo / estudiar / español

_____

5.-6. Yo conocí a mi amiga Carmelita en 1990.

hacer / años / yo / conocer a Carmelita

_____

7.-8. Esperaba el autobús. Después de diez minutos empezó a nevar.

hacer / minutos / yo / esperar / autobús / cuando / empezar a nevar

_____

9.-10. Vivíamos en Nueva York. Después de vivir allí tres meses murió nuestra abuela en México.

hacer / meses / nosotros / vivir en Nueva York / cuando / morir nuestra abuela

_____

QUIZ B

ESTRUCTURA II

Acabar de

Escriba cada oración con *acabar de*. (5 pts.)

1. *Voy a* viajar a México.

   _____

2. *Vamos a* visitar el bazar.

   _____

3. *Iban a* comer en el restaurante cuando encontraron a Rosa.

   _____

4. ¿*Vas a* hacer tus tareas?

   _____

5. Alfonso *iba a* comer cuando llamaron sus amigos por teléfono.

   _____

CAPÍTULO

3

QUIZ C

ESTRUCTURA II

Los usos del imperfecto del subjuntivo

Complete con el subjuntivo. (10 pts.)

1. Yo quería que Miguel _____ (venir) a la fiesta pero no vino.

2. Era improbable que él _____ (poder) venir.

3. ¿Querías que Manuel _____ (venir) al partido?

4. Sus padres querían que él _____ (quedarse) en casa.

5. La profesora mandó que los estudiantes _____ (cerrar) los libros.

6. Ella quería que ellos _____ (saber) todas las respuestas de memoria.

7. La profesora les dijo a los alumnos que _____ (ser) más serios

   en clase.

8. No era cierto que yo _____ (viajar) a España.

9. Mi amigo Carlos me dijo que _____ (visitar) Madrid.

10. Era importante que nosotros _____ (tener) nuestros pasaportes.

QUIZ D

ESTRUCTURA II

El subjuntivo con expresiones indefinidas

■ Complete con el subjuntivo. (5 pts.)

1. Debes pensar en las consecuencias de cualquier cosa que (tú) _____ (hacer).

2. Debes agregar azafrán a la paella como quiera que (tú) la _____ (preparar).

3. Cuando quiera que (tú) _____ (volver), yo estaré aquí esperando.

4. Quienquiera que _____ (desear) ir, debe salir ahora.

5. Dondequiera que (tú) _____ (ir), ten cuidado.

CAPÍTULO
3

QUIZ E

ESTRUCTURA II

El subjuntivo en cláusulas relativas

■ Complete con el indicativo o el subjuntivo. (5 pts.)

1. El director busca un maestro que _____ (poder) enseñar español y francés.

2. Él conoce a un maestro que _____ (poder) enseñar español y alemán.

3. No hay ningún baile que _____ (ser) tan emocionante como el tango.

4. No hay nadie que _____ (cocinar) como mi madre.

5. La playa de Yelapa es la playa más bonita que _____ (existir) en México.

CAPÍTULO

3

QUIZ A

LITERATURA

El tango

■ Exprese de otra manera. (10 pts.)

Todos los invitados *gozaron* *del enlace nupcial*. Los novios se *adoran*. Van a tener *muchas*
  ――――   ――――――――   ――――   ―――――
   1   2   3

memorias buenas de la ceremonia. Desafortunadamente, el padrino era alérgico a las flores en
―――――――
   4

la iglesia. Tuvo que *distanciarse* de ellas.
                     ――――――――――
                          5

En la recepción, había *un conjunto de músicos* y un *hombre que cantaba*. Me gustaba más
                       ――――――――――――――――   ――――――――――――――――
                                6   7

el acordeón. *El grupo* de amigos bailó. *El baile* que bailaron fue el tango.
――――――――   ―――――   ――――――
     8   9   10

1. _____

2. _____

3. _____

4. _____

5. _____

6. _____

7. _____

8. _____

9. _____

10. _____

QUIZ B

LITERATURA

Mi adorado Juan

Complete con una palabra apropiada. (10 pts.)

1. Los novios van a _____ en esta iglesia en junio.

2. Odio este tipo de película. Me _____.

3. A mi hermano no le gusta hacer nada. No trabaja, ni hace ejercicio. Es un

   _____.

4. Llueve hoy. Necesito llevar mi _____.

5.-6. La madre les pide a los niños que no hagan ruido. Ella les _____

   que _____.

7. Mi madre trabaja en un hospital. Su _____ es doctora.

8. Mi amigo no estaba en casa cuando lo llamé por teléfono. Entonces hablé con su mamá y

   le dejé un _____.

9. ¡Qué rostro _____ tiene la muchacha en esta foto! Parece estar
   muy alegre.

10. —¿Puedes permanecer un rato?

    —No, tengo clase. Tengo que _____ ahora.

CAPÍTULO

4

QUIZ A

CULTURA

Eventos y ceremonias

■ Paree. (10 pts.)

1. ____ el bautizo

2. ____ la esquela

3. ____ enterrar

4. ____ las amonestaciones

5. ____ el parto

6. ____ la esposa

7. ____ el alma

8. ____ los cónyuges

9. ____ dar a luz

10. ____ el marido

a. el nacimiento

b. el velorio

c. la boda

QUIZ B

CONVERSACIÓN

Ceremonias familiares

■ Exprese de otra manera. (5 pts.)

1. Se entierren a los difuntos en *el cementerio.*

   _____

2.–3. *La esposa del muerto* está hablando con una señora del *grupo que acompañó al muerto en el funeral.*

   _____

4. Los restos de su esposo se quedarán en *el sepulcro de la* familia.

   _____

5. *El vestido especial de la novia* fue el de su abuela.

   _____

CAPÍTULO
4

QUIZ A

ESTRUCTURA I

El futuro
Verbos regulares

■ Escriba en el futuro. (8 pts.)

1. Nosotros vamos a viajar a Bolivia.

   _____

2. Yo voy a comprar los billetes.

   _____

3. Los billetes van a costar mucho.

   _____

4. El viaje va a ser muy interesante.

   _____

5. Uds. van a recibir unas tarjetas postales de nosotros.

   _____

6. Josefina va a aprender a hablar español.

   _____

7. Las muchachas van a ver los monumentos principales de La Paz.

   _____

8. Tú vas a ir al museo.

   _____

QUIZ B

ESTRUCTURA I

El futuro
Formas irregulares

Complete con el futuro. (10 pts.)

1. Elena no vino ayer. Ella _____ mañana.

2. Los muchachos no supieron la verdad ayer. Ellos la _____ mañana.

3. Su amigo no se la dijo ayer. Él se la _____ mañana.

4. Yo no quise hacer mis tareas ayer. Yo _____ hacerlas mañana.

5. Tú no pudiste escribir la composición anoche. Tú _____ escribirla esta tarde.

6. Después de jugar al vólibol, nosotros teníamos mucha hambre. Nosotros no

   _____ hambre después de comer.

7. El niño no puso la mesa ayer. Él la _____ hoy.

8. Su hermana no hizo la cama ayer. Ella la _____ hoy.

9.-10. Los novios no salieron la semana pasada. Ellos _____ el viernes que

   viene. Su dueña _____ con ellos también.

Nombre _____ Fecha _____

CAPÍTULO

QUIZ C

ESTRUCTURA I

El condicional o potencial
Formas regulares e irregulares

█ Complete con el condicional. (10 pts.)

1.-2. Yo _____ (comprar) un Mercedes pero no tengo suficiente dinero. ¿Qué

tipo de coche _____ (comprar) tú?

3.-4. ¿Qué _____ (hacer) Ud.? Mis hermanos no _____
(hacer) nada.

5. Mi padre dijo que él _____ (venir) tarde hoy.

6. Nosotros te _____ (decir) lo que pasó pero no sabemos nada.

7. Yo le _____ (escribir) una carta pero no tengo su dirección.

8.-9. ¿_____ (ir) tú al cine a ver la nueva película de horror?

¿_____ (tener) tú miedo de verla?

10. Mi padre _____ (comer) esta paella pero es alérgico a los mariscos.

QUIZ D

ESTRUCTURA I

Oraciones indirectas

■ Complete con el futuro o el condicional. (5 pts.)

1. Te digo que yo no _____ (estar) mañana.

2. Manuel me dijo que él _____ (llegar) a tiempo mañana.

3. Te dije que yo _____ (querer) ir al cine el viernes que viene.

4. Mi mamá dijo que nuestra abuela _____ (venir) de hoy en ocho días.

5. El profesor dice que nosotros _____ (tener) que estudiar mucho el año que viene.

QUIZ E

ESTRUCTURA I

Los pronombres de complemento directo e indirecto

A Conteste con el pronombre apropiado. (5 pts.)

1. *¿Te* escribió tu novio una carta?

   Sí, _____

2. *¿Les* enviaron sus padres una tarjeta postal a Uds.?

   Sí, _____

3. *¿Te* dio la carta el cartero?

   Sí, _____

4. *¿Te* habló la empleada del correo?

   Sí, _____

5. *¿Les* dijo la señora la dirección a Uds.?

   Sí, _____

B Complete con los pronombres apropiados. (5 pts.)

Escribí una carta ayer. Yo ____ puse en el buzón hoy. Yo ____ escribí a mi amiga Carla.
$\quad\quad\quad\quad\quad\quad\quad\quad\quad\quad$ 1 $\quad\quad\quad\quad\quad\quad\quad\quad\quad\quad$ 2

También envié dos paquetes. ____ envié por correo aéreo. ____ envié los paquetes a
$\quad\quad\quad\quad\quad\quad\quad\quad\quad\quad$ 3 $\quad\quad\quad\quad\quad\quad\quad\quad\quad\quad$ 4

mis abuelos. Compré un aerograma. ____ compré en el correo.
$\quad\quad\quad\quad\quad\quad\quad\quad\quad\quad\quad\quad\quad\quad\quad\quad$ 5

QUIZ F

ESTRUCTURA I

Dos complementos en la misma oración

Escriba las frases con pronombres. (8 pts.)

1. Gustavo le compró el regalo a su novia.

   _____

2. La profesora nos explicará el tema del libro.

   _____

3. Mi amigo me dijo la verdad.

   _____

4. Yo te daré los lápices.

   _____

5. El cajero le da las monedas al cliente.

   _____

6. La madre les pidió la ropa sucia a sus niños.

   _____

7. Sus padres le compraron los discos a Rafael.

   _____

8. El mesero les sirve la comida a las señoras.

   _____

QUIZ A

PERIODISMO

La boda de Chábeli

Exprese de otra manera. (10 pts.)

1.–2. *El primer hijo* del *marido y la esposa* se casa hoy.

_____

3. El traje de novia estaba *hecho* de encaje y de seda.

_____

4.–5. El padrino *tiene* una casa recientemente *renovada*.

_____

6. Durante la boda los novios se dieron *anillos* de oro.

_____

7. Este evento *provocó* una alegría grande.

_____

8. La familia de la novia que asistía a la boda *consistía en* sus padres, sus abuelos y sus tíos.

_____

9. Los novios *se unieron* en una ceremonia religiosa.

_____

10. Queríamos comprar una casa pero tenemos un *obstáculo* grande; no tenemos dinero.

_____

QUIZ B

PERIODISMO

Anuncios sociales

A Exprese de otra manera. (5 pts.)

Doña María le *regaló* una cobijita a doña Cecilia. Era un regalo para *el hijo de la nieta* de
<u>1</u>   <u>2</u>

doña Cecilia. El niño es el *hijo* de Maricarmen, la nieta más joven de doña Cecilia. Doña María
<u>3</u>

tejió la cobijita aunque tiene artritis en la mano izquierda. Ella es una persona *generosa que hace*
<u>4</u>

sacrificios por los demás. Desafortunadamente, doña María no pudo asistir al *regocijo* (baby shower).
<u>5</u>

1. _____

2. _____

3. _____

4. _____

5. _____

B Dé la palabra o expresión que se define. (5 pts.)

1. se dice que este ave entrega a los infantes _____

2. cercano, próximo, familiar _____

3. probar alimentos finos _____

4. la persona muerta _____

5. los que asisten a una fiesta _____

CAPÍTULO

4

QUIZ A

ESTRUCTURA II

El subjuntivo en cláusulas adverbiales

Complete con el subjuntivo de los verbos. (5 pts.)

1. Mi tío nos invitó al restaurante para que nosotros _____ (degustar) su comida famosa.

2. El mesero dice que habrá una mesa libre con tal de que nosotros _____ (esperar) diez minutos.

3. El mesero nos trajo el menú de modo que nosotros _____ (saber) los especiales.

4. En el restaurante mi hermanito no iría al WC sin que mi padre lo _____ (acompañar).

5. Mi padre le dio una buena propina al mesero de manera que él _____ (saber) que nos gustó su servicio.

CAPÍTULO
4

QUIZ B

ESTRUCTURA II

El subjuntivo con conjunciones de tiempo

Complete con el subjuntivo o el indicativo. (5 pts.)

1. Yo nadaré cuando nosotros _____ (llegar) a la playa.

2. Pablo esquiará en el agua hasta que nosotros _____ (tener) que volver a casa.

3. Catalina alquiló una plancha de vela antes de que nosotros _____ (salir) para la playa.

4. Marcos alquiló un barco después de que nosotros _____ (llegar) a la playa.

5. Fuimos a comer en un restaurante en cuanto _____ (empezar) a llover.

QUIZ C

ESTRUCTURA II

El subjuntivo con aunque

■ Complete con el indicativo o el subjuntivo. (5 pts.)

1. El avión es más rápido que el tren. Tomaré el tren aunque el avión _____ (ser) más rápido.

2. No estoy seguro, pero creo que el billete cuesta quince dólares. Aunque el billete

   _____ (costar) más de quince dólares lo compraré.

3. Es posible que nieve mañana. Conduciré mi coche aunque _____ (nevar).

4. Doy un paseo todos los días. No me importa el tiempo. Llueve ahora. Daré un paseo hoy

   aunque _____ (llover).

5. No sé si Mercedes puede ir al cine con nosotros. ¿Irás tú aunque ella no _____ (venir)?

CAPÍTULO
4

QUIZ D

ESTRUCTURA II

El subjuntivo con quizás, tal vez y ojalá

Complete con el subjuntivo. (5 pts.)

1. Quizás Olivia me _____ (llamar) por teléfono hoy.

2. Tal vez ella me _____ (invitar) al cine mañana.

3. Ojalá que _____ (haber) una película romántica.

4. Tal vez nosotros _____ (comer) después de ver la película.

5. Ojalá que nosotros _____ (salir) otra vez.

CAPÍTULO

4

QUIZ E

ESTRUCTURA II

La colocación de los pronombres de complemento con el infinitivo y el gerundio

Escriba las oraciones con pronombres. (10 pts.)

1. Alicia está escribiendo la carta.

   _____

2. Ella le está escribiendo la carta a su amiga.

   _____

3. Ella le va a enviar la carta a su amiga hoy.

   _____

4. Alicia va a comprar los sellos en el correo.

   _____

5. Alicia le va a decir la dirección al empleado del correo.

   _____

QUIZ F

ESTRUCTURA II

Los pronombres de complemento con el imperativo

Escriba las frases con pronombres. (25 pts.)

1. Escucha (tú) a la profesora.

   _____

2. No explique (Ud.) el problema a nosotros.

   _____

3. Dé (Ud.) la dirección a los señores.

   _____

4. Di la verdad a tu amigo.

   _____

5. No compres la camiseta verde a tu hermano.

   _____

6. Lea (Ud.) el libro a los niños.

   _____

7. No sirva (Ud.) los mariscos al señor.

   _____

8. Escribe la carta a tu abuelo.

   _____

CAPÍTULO
4

QUIZ A

LITERATURA

El niño al que se le murió el amigo

▪ Indiquen dónde se puede encontrar las cosas siguientes. (5 pts.)

1. ____ el codo   **a.** el jardín

2. ____ el agua   **b.** la puerta

3. ____ el polvo   **c.** el brazo

4. ____ la valla   **d.** el pozo

5. ____ el quicio   **e.** el suelo

Nombre _____ Fecha _____

CAPÍTULO
4

QUIZ B

LITERATURA

En paz

A Complete con una palabra apropiada. (5 pts.)

1.-3. Las _____ hacen _____ del polen de las _____.

   4. Aunque el niño tiene una _____ angélica, se comporta muy mal.

   5. La madre le canta y le _____ con la mano al niño.

B Dé la palabra que se define. (5 pts.)

   1. la puesta del sol   _____

   2. la amargura   _____

   3. injusto(a)   _____

   4. los tiempos de vigor   _____

   5. duro   _____

QUIZ A

CULTURA

Acontecimientos históricos

████ Exprese de otra manera. (10 pts.)

1.–2. Cristóbal Colón fue *un marino famoso*.

_____

3.–4. Hizo un viaje con *un grupo* de tres *buques de vela*: la Pinta, la Niña y la Santa María.

_____

5.–6. Colón recibió *la ayuda absolutamente necesaria* de la reina Isabel de España.

_____

7. La reina llevaba en la cabeza elegante *un ornamento honorífico* de oro.

_____

8.-9. Cuando Colón *bajó del barco* en las Américas, metió una *tela con una insignia militar y política* española en la tierra.

_____

10. Mucha gente no creía que el viaje fuera posible. La gente no creía que el mundo fuera *en la forma de un globo*.

_____

CAPÍTULO
5

QUIZ B

CONVERSACIÓN

Un crimen

■ Complete con una palabra apropiada. (5 pts.)

1.-2. El _____ le quita la cartera del _____ de la víctima.

3. Para cerrar esta puerta hay que _____ la con fuerza.

4. Pongo mi dinero en mi _____.

5. El policía lleva al ladrón a la _____ para denunciarlo.

QUIZ A

ESTRUCTURA I

El presente perfecto

■ Complete con el presente perfecto del verbo apropiado de la lista siguiente. (20 pts.)

comer	descubrir	freír	poner	ver
decir	escribir	hacer	romper	viajar

1. El cocinero _____ las papas.

2. El niño malcriado _____ la lámpara.

3. Nosotros _____ mariscos en este restaurante.

4. Los alumnos _____ unas composiciones buenas.

5. Tú _____ la verdad.

6. Yo _____ tres veces en avión.

7. Los muchachos ya _____ sus tareas.

8. Los exploradores _____ el tesoro.

9. Ud. todavía no _____ la película nueva.

10. Mi padre _____ la leche en el refrigerador.

QUIZ B

ESTRUCTURA I

Las palabras negativas y afirmativas

Cambie al negativo. (10 pts.)

1. Vi a alguien en la sala de clase.

   _____

2. La profesora está escribiendo algo en la pizarra.

   _____

3.-4. Los alumnos tienen o un lápiz o un bolígrafo.

   _____

5. Alguien está hablando con la profesora.

   _____

6. Alicia tiene algunas amigas buenas.

   _____

7.-8. Ella siempre sabe la respuesta y yo la sé también.

   _____

9.-10. Ella siempre tiene alguna idea de lo que pasa.

   _____

QUIZ C

ESTRUCTURA I

Sino y pero

■ Complete con *sino* o *pero*. (5 pts.)

1. Mi abuela no es joven, _____ vieja.

2. Mi abuela no es joven, _____ es muy lista.

3. Nosotros no compramos discos, _____ cintas.

4. Él no es abogado _____ ingeniero.

5. No hace buen tiempo, _____ no llueve tampoco.

CAPÍTULO
5

QUIZ A

PERIODISMO

Los titulares

🔲 Exprese de otra manera. (10 pts.)

1.–2. Desafortunadamente, *el maestro* murió de un *ataque cardíaco.*

_____

3.–4. Si quieres *rebajar el peligro* de infarto, hay que hacer ejercicio y comer bien.

_____

5.–7. ¿Qué tipo de transporte te gusta más: el *minibús,* el *barco* o el *metro*?

_____

8.–9. A causa de *la suspensión del trabajo* habrá *retrasos* en el servicio de los autobuses hoy.

_____

10. ¿Crees que los negocios de paz *no tendrán éxito*? Yo no soy optimista.

_____

CAPÍTULO
5

QUIZ B

PERIODISMO

Los sucesos

◼ Indique la palabra que no pertenece. (5 pts.)

1. el incendio   las llamas   el humo   el maleante

2. hundirse   apoderarse   naufragar   inundarse

3. el buque   la nave   el marino   el navío

4. rescatar   liberar   salvar   sobrepasar

5. la madrugada   la medianoche   la mañana   la ola

QUIZ A

ESTRUCTURA II

El pluscuamperfecto

■ Complete con el pluscuamperfecto o el pretérito. (5 pts.)

1. Antes de hacer su primer viaje, Colón ya _____ (decir) que el mundo era redondo.

2. Cuando Cristóbal Colón salió del puerto español, la reina Isabel ya le

   _____ (dar) su apoyo.

3. Algunos creen que los vikingos ya habían estado en la América del Norte cuando Colón

   _____ (llegar) allí.

4. Cristóbal Colón ya _____ (descubrir) el Nuevo Mundo cuando Juan Ponce de León llegó a la Florida.

5. Cuando los ingleses _____ (fundar) Jamestown, Lucas Vázquez de Ayllón había establecido una colonia en Carolina del Sur.

CAPÍTULO
5

QUIZ B

ESTRUCTURA II

El condicional perfecto

Complete con el condicional perfecto. (5 pts.)

1. Él te _____ (llamar) pero no tenía tu número de teléfono.

2. Nosotros les _____ (escribir) una carta pero no teníamos su nueva dirección.

3. Mis hermanos _____ (ir) al cine pero no fueron porque no tenían dinero.

4. Yo te _____ (hablar) pero no te vi en la fiesta.

5. Yo le _____ (dar) mis tareas a la profesora pero mi perro se las comió.

QUIZ C

ESTRUCTURA II

El futuro perfecto

■ Complete con el futuro perfecto. (5 pts.)

1.-2. Después de completar esta clase, yo _____ (leer) cuatro

libros y _____ (escribir) tres composiciones.

3. Antes de ir al centro comercial, nosotros _____ (ir) al
banco.

4.-5. Cuando tú hayas vuelto de tu viaje, tú _____ (ver) y

_____ (aprender) mucho.

CAPÍTULO

QUIZ D

ESTRUCTURA II

Los adjetivos apocopados

■ Complete con la forma apropiada del adjetivo. (10 pts.)

1.-2. Madre Teresa es una _____ (grande) mujer pero ella no es muy

_____(grande).

3.-5. Mi tía vive en _____ (santo) Juan; mi amiga vive en _____

(santo) Ana y mis abuelos viven en _____ (santo) Domingo.

6. Hace _____ (ciento) años que mi familia vive en California.

7.-8. Vivimos en la _____ (primero) calle a la derecha en el _____
(tercero) edificio a la izquierda.

9.-10. Jorge es un _____ (bueno) cantante pero es un _____ (malo)
guitarrista.

QUIZ E

ESTRUCTURA II

El sufijo -ísimo(a)

Complete con el superlativo del adjetivo con *-ísimo(a)*. (5 pts.)

1. Este examen es _____. (difícil)

2. La película nueva es _____. (malo)

3. Los alumnos son _____. (inteligente)

4. El *"Titanic"* era un barco _____. (grande)

5. Esta clase es _____. (divertido)

QUIZ A

LITERATURA

Un romance y un corrido

■ ¿Cierto o falso? Corrija las oraciones falsas. (10 pts.)

1. El cautivo vivía en el alcázar elegante.

   _____

2. Después de la muerte de su esposo, la señora fue viuda.

   _____

3. El edificio religioso de los moros se llama un monte.

   _____

4. Generalmente un sargento les habla cortésmente a los soldados.

   _____

5. El jardinero labra en su huerta.

   _____

QUIZ A

CULTURA

Los valores

■ Exprese de otra manera. (10 pts.)

1.–2. La Tierra *da una vuelta sobre* su *centro* cada día.

_____

3.–5. Vamos a adoptar al niño. Vamos a *darle protección* al niño y vamos a *dividir* con él todo lo que tenemos. Además vamos a *tomar la responsabilidad* de su educación.

_____

6. Aunque no somos de la misma familia, existe un tipo de *conexión familiar* entre nosotros.

_____

7. Si haces buen trabajo, estoy seguro que recibirás *una promoción en tu empleo*.

_____

8.–10. Este hombre es *alguien que no tiene ni hogar ni trabajo*. Él no tiene los *bienes* para vivir. Se viste de *ropa viejísima*.

_____

QUIZ B

CONVERSACIÓN

El que invita paga

◼ Dé la palabra o expresión que se define. (5 pts.)

1. gustar _____

2. hacer sentir cierta humillación _____

3. predecir _____

4. el que no tiene dinero _____

5. descubrir cuánto dinero uno tiene en la mano _____

QUIZ A

ESTRUCTURA I

Usos especiales del artículo
El sentido general

◼ Complete con el artículo apropiado. (5 pts.)

1. _____ tenis es un deporte interesante.

2. _____ valores son ideas que comparten los miembros de una cultura.

3. ¿Te gustan _____ películas de terror?

4. _____ música clásica me encanta.

5. _____ estudiantes deben estudiar mucho.

QUIZ B

ESTRUCTURA I

El artículo

■ Complete con el artículo apropiado cuando sea necesario. (10 pts.)

—Buenos días, _____ señorita Castillo.
                    1

—Buenos días, _____ señor Ramírez.
                    2

—_____ señorita Castillo, ¿conoce Ud. a _____ señora Ayala?
       3   4

—Sí, y yo conozco a su esposo, _____ doctor Ayala.
                                      5

—¿_____ esposo de _____ señora Ayala es médico? No lo sabía.
      6   7

—Sí. Y su esposa, _____ señor Ramírez, ¿cómo está ella?
                        8

—Mucho mejor. Su médica, _____ doctora Sánchez, dice que ella podrá salir del hospital
                                9

mañana.

—¡Qué bueno!

—Adiós, _____ señorita Castillo.
              10

—Adiós.

CAPÍTULO

6

QUIZ C

ESTRUCTURA I

El artículo con los días de la semana

■ Complete con el artículo apropiado. (5 pts.)

Soy una persona muy ocupada. Todos _____ lunes tengo una clase de gimnasia.

        ₁

_____ martes y _____ jueves siempre trabajo en la biblioteca. En general _____

  ₂   ₃   ₄

viernes salgo con mis amigos. _____ viernes que viene voy al teatro con Jorge.

                                         ₅

QUIZ D

ESTRUCTURA I

El artículo con los verbos reflexivos

■ Complete con el artículo apropiado. (5 pts.)

1. Mi padre se pone _____ corbata antes de ir al trabajo.

2. Mi hermano se quita _____ zapatos cuando llega a casa.

3.-4. El niño malcriado nunca se lava _____ manos y casi nunca se cepilla _____ dientes.

5. Si tienes calor, tienes que quitarte _____ suéter.

QUIZ E

ESTRUCTURA I

El artículo indefinido

◼ Complete con el artículo cuando sea necesario. (5 pts.)

Mi madre es _____ enfermera. Ella es _____ enfermera dedicada. Mi padre
        1   2

es _____ médico. ¿Y yo? Soy _____ profesora. Mis alumnos me dicen que soy
      3   4

_____ profesora buena.
    5

QUIZ F

ESTRUCTURA I

Los pronombres con la preposición

■ Complete con el pronombre apropiado. (5 pts.)

1.-2. Quiero ir con_____. (tú) ¿No quieres ir con_____? (yo)

3. La muchacha rubia habla de _____. (tú)

4. ¿Conociste a los nuevos alumnos? ¿Qué piensas de _____? (ellos)

5. Uds. no pueden comenzar la fiesta sin _____. (nosotros)

CAPÍTULO
6

QUIZ A

PERIODISMO

Una carta al director

A Complete con una palabra apropiada. (5 pts.)

1.-2. Mi tío no gasta dinero sin una razón buena. Tiene un _____ muy

detallado. Él no cambia frecuentemente de idea. Es bastante _____.

3. La señora no comprende la situación. Ella está _____.

4. El mendigo sobrevive de la _____ de otros.

5. El niño se niega a comer legumbres. Rehúsa _____.

B Indique la palabra que no pertenece. (5 pts.)

1. el camino	el carné	el trayecto
2. la devoción	la responsabilidad	el cargo
3. el afecto	la amistad	la distancia
4. proponer	permitir	hacer una propuesta
5. cobrar	autorizar	dar la autorización

QUIZ B

PERIODISMO

La influencia de la familia

A Complete con una palabra apropiada. (5 pts.)

1. En India hay un sistema de _____ muy rígido.

2.-3. La sangre _____ por las arterias y las _____.

4.-5. Laura asiste a la universidad y estudia mucho. Su _____ es ser médica. A

ella le interesa mucha la medicina. Tiene una gran _____ a la medicina.

B Escoja la palabra que se define. (5 pts.)

1. recibir de los padres

    a. asemejarse   **b.** heredar

2. sorprender, asombrar

    a. extrañar   **b.** aportar

3. vindicar

    a. vengar   **b.** estar dispuesto(a)

4. la fuerza

    a. la tontería   **b.** el poder

5. seleccionar

    a. elegir   **b.** vengar

CAPÍTULO
6

QUIZ A

ESTRUCTURA II

El presente perfecto del subjuntivo

Complete con el presente perfecto del subjuntivo. (5 pts.)

1. Estoy triste que tú no _____ (venir) a la fiesta.

2. Es improbable que él _____ (comprar) un coche nuevo.

3. No es cierto que ellos _____ (hacer) las tareas antes de salir.

4. Me sorprende que ella _____ (ver) la película nueva.

5. No sabemos quién lo hizo, pero es imposible que nosotros lo _____. (hacer). No estábamos allí.

CAPÍTULO
6

QUIZ B

ESTRUCTURA II

El pluscuamperfecto del subjuntivo

Complete con el pluscuamperfecto del subjuntivo. (5 pts.)

1. Me sorprendió que tú _____ (saber) la verdad.

2. Era posible que él _____ (estar) enfermo.

3. Era una lástima que Manolo no _____ (venir) con nosotros.

4. Dudábamos que ellos _____ (leer) el periódico.

5. Mi abuela estaba alegre que yo le _____ (escribir) una carta larga.

QUIZ C

ESTRUCTURA II

Cláusulas con si

■ Complete con la forma apropiada del verbo. (10 pts.)

1. Si yo _____ (estar) en la playa, nadaría.

2. Nosotros _____ (alquilar) un barco si hubiéramos estado en el lago.

3. Marcos tomará el sol si él _____ (ir) a la playa.

4. Miguel _____ (escribir) una composición si él encontrara su libro.

5. Si encuentro mi libro, yo _____ (hacer) las tareas.

6. Los alumnos habrían leído el capítulo si ellos _____ (encontrar) su libro.

7. Yo habría comprado boletos para la corrida de toros si tú me lo _____ (pedir).

8. Yo compraré unos boletos mañana si tú _____ (querer) ir conmigo.

9. Si hubiera tenido mucho dinero, yo _____ (viajar) a Puerto Rico.

10. Si él _____ (tener) mucho dinero, él viajaría por todo el mundo.

QUIZ D

ESTRUCTURA II

El mío, el tuyo, el suyo, el nuestro y el vuestro

■ Escriban las frases siguientes de nuevo usando los pronombres posesivos. (10 pts.)

1.-2. Tengo mis tijeras. ¿Dónde están tus tijeras?

_____

3.-4. Encontré tu bolígrafo en la mesa y encontré mi bolígrafo en el suelo.

_____

5.-6. Nuestro coche es nuevo y su coche es viejo.

_____

7.-8. Tu ropa está sucia y nuestra ropa está limpia.

_____

9.-10. Mis zapatos no son tan grandes como sus zapatos.

_____

QUIZ E

ESTRUCTURA II

El suyo, la suya, los suyos *y* las suyas

Escriba con el pronombre posesivo y una frase preposicional.
(10 pts.)

1.-2. José y Carlos tienen sus discos y los discos de Gloria.

_____

3.-4. Rodrigo busca su revista y las revistas de su hermano.

_____

5.-6. Adelita necesita su libro y el libro de José y Felipe.

_____

7.-8. Mi padre come su postre y el postre de mi madre.

_____

9.-10. El niño abre sus cartas y la carta de su hermana.

_____

QUIZ F

ESTRUCTURA II

Los pronombres demostrativos

A Cambie al pronombre demostrativo. (5 pts.)

1.–2. José, ¿necesitas *este libro* o *ese libro*?

_____

3.–4. A mí no me gustan *aquellas flores*. Me gustan *estas flores*.

_____

5. *Esos pasteles* son muy ricos.

_____

B Cambie al pronombre demonstrativo apropiado. (5 pts.)

—Carmen, ¿te gusta más *el coche aquí cerca de mí, el coche cerca de ti* o *el coche allá*?
                       ‾‾‾‾‾‾‾‾‾‾‾‾‾‾‾‾‾‾‾   ‾‾‾‾‾‾‾‾‾‾‾‾‾‾‾‾   ‾‾‾‾‾‾‾‾‾‾‾
                                1   2   3

—Me gusta más *el coche cerca de ti. El coche allá* es muy feo.
              ‾‾‾‾‾‾‾‾‾‾‾‾‾‾‾‾ ‾‾‾‾‾‾‾‾‾‾‾‾
                     4   5

1. _____

2. _____

3. _____

4. _____

5. _____

QUIZ A

LITERATURA

Zalacaín el Aventurero

A Exprese de otra manera. (10 pts.)

No vivimos en *la ciudad*. *Residimos* *en una pequeña casa en el campo* que *es de* nuestra familia
               ₁   ₂   ₃   ₄
hace un siglo. Mi madre está muerta; mi padre es *sin esposa*. Mi hermano mayor tiene treinta
                                         ₅
años y es *una persona no casada*. Mi madre está enterrada en un *camposanto* viejo. Para ir allí,
              ₆   ₇
hay que *cruzar* un río. Cuando yo era jovencito, el río me *causaba miedo*. Hoy *tengo fantasías de*
       ₈   ₉   ₁₀
seguirlo hasta la desembocadura.

1. _____ 6. _____

2. _____ 7. _____

3. _____ 8. _____

4. _____ 9. _____

5. _____ 10. _____

B Indique la palabra que no pertenece. (5 pts.)

1. la bofetada   el puñetazo   el cartelón

2. el pato   la gallina   la piedra

3. la pared   la muralla   el tejado

4. el odio   el ladrón   el carterista

5. adivinar   asustar   causar miedo

Nombre _____ Fecha _____

CAPÍTULO
6

QUIZ B

LITERATURA

Mi padre

A Complete con una palabra apropiada de la lista. (5 pts.)

aliento   cicatriz   envidiaba   escalofrío   mentón

El niño se cayó de su bicicleta y se cortó el _____ y los labios. Él va
₁

a tener una _____ grande. Su mamá tuvo miedo cuando lo vio. Al verlo
₂

ella se sintió un _____ y le faltó el _____.
₃ ₄

El niño tenía una bicicleta vieja. Su amigo tenía una bicicleta nueva. Por eso, el niño le

_____ a su amigo.
₅

B Dé la palabra o expresión que se define. (5 pts.)

1. el miedo _____

2. una persona sin valentía _____

3. una acción heroica _____

4. a escondidas _____

5. no alerto(a), sin reflexión _____

CAPÍTULO
7

QUIZ A

CULTURA

Estadísticas sobre la salud

B Exprese de otra manera. (5 pts.)

Quiero ser médica. No quiero ser <u>asistente del médico</u>. Me voy a <u>matricular</u> en la universidad
₁   ₂
<u>del estado</u> y voy a asistir a las clases <u>de medicina</u>. Me han dicho que los estudiantes de medicina
₃   ₄
tienen una reunión <u>de cada día</u> para estudiar juntos.
                   ₅

1. _____

2. _____

3. _____

4. _____

5. _____

CAPÍTULO
7

QUIZ B

CONVERSACIÓN

La salud

B Dé la palabra o expresión que se define. (5 pts.)

1. tomar una fotografía con los rayos equis

_____

2. contar los latidos del corazón el la muñeca

_____

3. introducir una jeringa para examinar las células blancas y rojas

_____

4. medir la presión de la sangre en las arterias

_____

5. una evaluación de la salud física de una persona

_____

CAPÍTULO
7

QUIZ A

ESTRUCTURA I

El comparativo y el superlativo
Formas irregulares

B Complete con el comparativo o el superlativo del adjetivo. (10 pts.)

1.-2. El estado de California es _____ (grande) que el estado de Rhode

Island. Rhode Island es _____ (pequeño) que California.

3.-4. Yo soy _____ (grande) que mi hermana. Ella es

_____ (pequeño) que yo.

5.-6. Adelita estudia mucho. Ella es _____ (bueno) alumna de la clase.

Benito no estudia nunca. Él es _____ (malo) alumno de la clase.

7.-8. Tengo dolor de cabeza. Tomaré unas aspirinas y me sentiré _____

(bien). Si me siento _____ (mal), llamaré al médico.

9.-10. En mi opinión, escribir una composición es _____ (bueno) que

tomar un examen. Un examen es _____ (malo) que una

composición.

CAPÍTULO

7

QUIZ B

ESTRUCTURA I

El comparativo de igualdad

B Complete con el comparativo de igualdad. (5 pts.)

1. Esa película contiene _____ violencia _____ este programa de televisión.

2. Mi hermano es _____ alto _____ nuestro padre.

3. Nuestra casa tiene _____ cuartos _____ la tuya.

4. No tengo _____ dinero _____ tú.

5. El niñito no habla _____ bien _____ su hermana mayor.

CAPÍTULO
7

QUIZ C

ESTRUCTURA I

Los verbos reflexivos
Formas regulares

B Complete con un verbo apropiado de la lista. Use el pronombre reflexivo cuando sea necesario. (10 pts.)

cepillar(se)   despedir(se)   lavar(se)
desayunar(se)   despertar(se)   vestir(se)

1. Todos los días la madre _____ a las seis.

2. Ella _____ a sus niños a las seis y media.

3. Antes de ir al cuarto de sus niños, ella _____ con un vestido bonito.

4.-5. También ella _____ la cara y _____ los dientes.

6. La madre _____ a los niños porque ellos todavía no pueden ponerse ropa.

7.-8. La madre _____ el pelo y _____ la cara a los niños.

9. Los hijos _____ en la cocina. Comen pan tostado y beben leche con sus padres.

10. Cuando el padre sale para el trabajo, los hijos _____ de él.

CAPÍTULO
7

QUIZ D

ESTRUCTURA I

El sentido recíproco

B Complete con un verbo apropiado de la lista. (5 pts.)

ayudar(se)   **conocer(se)**   **escribir(se)**   **ver(se)**   **querer(se)**

1.-2. Los amigos no viven en la misma ciudad. Por consiguiente, ellos no

_____ a menudo pero _____.

muchas cartas.

3. Mi novio y yo _____ mucho. Vamos a casarnos.

4. Mi mejor amiga y yo _____ en la escuela hace diez años.

5. Durante y después del incendio el año pasado, los vecinos _____ el uno al otro.

CAPÍTULO

7

QUIZ A

PERIODISMO

Salud estudiantil

B Complete con una palabra apropiada. (5 pts.)

Tengo mis clases en una _____ grande. Se sirve el almuerzo en la

       1

_____. Los _____ no comen con los alumnos. Tienen

  2   3

una cafetería privada. La _____ (los platos y las tazas) es de

             4

papel y plástico. Yo traigo mi almuerzo a la escuela. De vez en cuando traigo yogur en un

_____ con una tapa.

  5

CAPÍTULO

7

QUIZ B

PERIODISMO

La dieta

B Indique la palabra que no pertenece. (5 pts.)

1. el cerdo   el cochino   el puerco   el pescado

2. el embutido   la ternera   la salchicha   el salchichón

3. los frijoles   los guisantes   las lentejas   los camarones

4. el pellejo   la yema   la clara   el huevo

5. los cacahuetes   la ración   el maní   las nueces

CAPÍTULO
7

QUIZ C

PERIODISMO

La contaminación por el ruido

A Indique dónde se puede encontrar las cosas siguientes. (5 pts.)

1. ____ el taladro

2. ____ el aparato para la sordera

3. ____ el palillo

4. ____ el tapón para los oídos

5. ____ el claxon

a. en la oreja

b. en el lugar de construcción

c. en el coche

d. en la mesa

B Exprese de otra manera. (5 pts.)

1.–3. Mi abuelo es *una persona que no puede oír.* Él *arruinó* su *oído* cuando era bastante joven.

_____

4. Los precios casi siempre *suben.* Casi nunca bajan.

_____

5. ¿Quién hace este *sonido desagradable?*

_____

CAPÍTULO

7

QUIZ A

ESTRUCTURA II

El pronombre relativo que

B Forme una sola oración con *que* o *quien*. (10 pts.)

1. El señor conduce el coche rojo. El señor es mi padre.

   _____

2. Este examen es bastante difícil. Estamos tomando el examen.

   _____

3. María habla del profesor. El profesor es muy estricto.

   _____

4. El presidente firma el documento con un bolígrafo. El bolígrafo es de oro.

   _____

5. Aquí están mis amigos. He viajado por España con mis amigos.

   _____

QUIZ B

ESTRUCTURA II

El que, la que, los que y las que

B Complete con *el que, la que, los que o las que.* (5 pts.)

1. _____ está hablando es mi profesora de historia.

2. De todas mis clases _____ me interesa más es la clase de historia.

3. _____ no se aventura no cruza la mar. _____ quiere, puede.

4. Estas revistas son _____ yo compraré.

5. Esta película es _____ vi ayer.

QUIZ C

ESTRUCTURA II

Lo que, cuyo

B Complete con *lo que* o la forma apropiada de *cuyo*. (5 pts.)

1. ¿Has entendido _____ pasó ayer?

2. La muchacha _____ madre es policía tuvo un accidente.

3. Ella no pudo ver _____ había en la calle.

4. _____ ella necesita es comprar unos anteojos.

5. La señora _____ coche fue destruido se puso muy enojada.

CAPÍTULO

7

QUIZ D

ESTRUCTURA II

Por *y* para

B Complete con *por* o *para*. (10 pts.)

1.-2. Salí _____ el banco. Fui al banco _____ sacar dinero de mi cuenta.

3. Voy a comprar un regalo _____ mi novio. Es su cumpleaños.

4.-5. Él sale mañana _____ México porque él estudia _____ profesor de español.

6. Voy a ir al centro comercial _____ el regalo.

7. Mi mamá está enferma. Por eso hice el trabajo _____ ella.

8.-9. No sé dónde comprar el regalo. Iré _____ las tiendas y cuando veo lo que

quiero, entraré en la tienda _____ comprarlo.

10. En México mi novio anduvo _____ los centros arqueológicos más importantes.

CAPÍTULO

7

QUIZ E

ESTRUCTURA II

Por y para *con expresiones de tiempo*

■ Complete con *por* o *para*. (5 pts.)

1.-2. —¿_____ cuándo quiere el profesor la composición?

—_____ el día ocho.

3.-5. Tengo que leer este libro _____ mañana. Voy a quedarme aquí _____

dos horas. La última vez me quedé aquí en la biblioteca _____ cuatro horas a

estudiar.

QUIZ F

ESTRUCTURA II

Por *y* para *con el infinitivo*

B Complete con *por* o *para*. (5 pts.)

1. Estoy _____ comprarme algo porque acabo de recibir dinero de mis abuelos.

2. Fui a la biblioteca _____ estudiar.

3. Todavía no hemos terminado; nos queda mucho _____ hacer.

4. No puedo salir ahora. Está _____ llover y no tengo paraguas.

5. Es necesario trabajar _____ ganar dinero.

CAPÍTULO

7

QUIZ G

ESTRUCTURA II

Otros usos de por y para

B Complete con *por* o *para*. (10 pts.)

1. Asisto a la clase de español _____ aprender a hablar bien.

2. La carne molida se vende _____ kilo en el mercado.

3. Mandó la tarjeta postal _____ correo ordinario.

4. El señor conduce muy despacio. Conduce a treinta kilómetros _____ hora.

5. _____ niñita, Marta lee muy bien.

6. El vendedor pide cien pesos _____ la blusa.

7. El hombre tiene el pelo largo. ¡Yo lo tomé _____ mujer!

8. Viajamos a Madrid _____ tren.

9. El presidente está muy ocupado, entonces su asistente habla _____ él.

10. Antes de viajar a España, cambié dólares _____ pesetas.

CAPÍTULO

7

QUIZ A

LITERATURA

Un día de éstos

A Indique dónde se puede encontrar las cosas siguientes. (5 pts.)

1. ____ la muela   **a.** el cepillo de dientes

2. ____ la pasta dentífrica   **b.** el sillón

3. ____ el cabezal   **c.** el ojo

4. ____ las caries   **d.** los dientes

5. ____ la lágrima   **e.** el posterior de la boca

B Exprese de otra manera. (10 pts.)

1.-2. El señor tiene la mejilla *muy grande*. El pobre hombre sale *de la oficina* del dentista.

_____

3.-4. El dentista siempre está muy ocupado. Siempre *se da prisa* cuando *empieza el día*.

_____

5. Me cepillo los dientes con *una pasta dentífrica* especial.

_____

CAPÍTULO

7

QUIZ B

LITERATURA

La tía Julia y el escribidor

A Escoja la palabra apropiada. (5 pts.)

1. Las niñas cantan y saltan a la _____. (ciego / soga)

2. El atleta levanta _____. (azulejos / pesas)

3. El equipo de Brasil recibió la _____ mundial de fútbol. (carrera / copa)

4. El jardinero riega la _____ todos los días. (planta / valla)

5. Él poda el _____ una vez cada año. (árbol / césped)

B Exprese de otra manera.(10 pts.)

1.–2. El Señor *acarició* al perro. El pobre perro es muy *delgado*.

_____

3.–4. El *médico* me examina el *estómago*.

_____

5. Cepillarse los dientes es un hábito importante *de todos los días*.

_____

QUIZ A

CULTURA

La herencia etnocultural de los hispanos

A Escoja el sinónimo. (10 pts.)

1. _____ la ascendencia
2. _____ el maltrato
3. _____ el occidente
4. _____ forzado
5. _____ la norma
6. _____ el traficante
7. _____ el esfuerzo
8. _____ la política
9. _____ el oriente
10. _____ la mezcla

a. la doctrina y la actividad de un gobierno
b. el este
c. el que compra y vende
d. la combinación
e. una serie de antecesores
f. el oeste
g. obligatorio
h. el modelo
i. el impulso
j. el abuso

B Dé la palabra que se define. (5 pts.)

1. la persona que no tiene libertad _____
2. una lengua de la gente indígena _____
3. lo que un rey o una reina lleva en la cabeza _____
4. el estímulo o la motivación _____
5. islámico(a) o mahometano(a) _____

CAPÍTULO

8

QUIZ B

CONVERSACIÓN

Las lenguas indígenas

◼ Exprese de otra manera. (10 pts.)

1.–3. Es importante *considerar y aceptar* que un *tirano* puede *tener influencia sobre* la gente.

_____

4.–5. *Los padres de mis abuelos* eran *ingleses*.

_____

6.–8. En Guatemala mucha gente *indígena* vive en *casitas* humildes y habla *una lengua de los mayas guatemaltecos*.

_____

9. La maestra *les enseña a leer y escribir* a los niños.

_____

10. Los mayas forman un grupo *de una raza* de Centroamérica.

_____

QUIZ A

ESTRUCTURA I

El participio presente

Complete con el presente progresivo o el imperfecto progresivo. (10 pts.)

1.-2. Ayer a las cuatro, César _____ (leer) el periódico. Ahora,

son las cuatro y él todavía lo _____ (leer).

3. El niño _____ (dormir) en este momento. ¡No lo despiertes!

4. El mendigo que anda por la calle _____ (pedir) dinero a los que pasan.

5. La profesora les _____ (explicar) la lección a los alumnos ahora.

CAPÍTULO

8

QUIZ B

ESTRUCTURA I

Los adverbios que terminan en -mente

■ Complete con la forma apropiada del adverbio. (5 pts.)

1. El cantante canta _____ (triste).

2.-3. El presidente habla _____ (claro) y

_____ (respetuoso).

4. El obrero llega al trabajo _____ (puntual).

5. Nosotros aprendemos _____ (rápido).

Nombre _____ Fecha _____

QUIZ A

PERIODISMO

Los mayas

■ Exprese de otra manera. (5 pts.)

1. La civilización maya *aumentó* en Centroamérica durante mil años.

   _____

2. El *apogeo* de la cultura y civilización maya comenzó en el año 250 d. de J.C.

   _____

3. Es posible que los mayas no fueran tan *tranquilos* como se pensaba. Es posible que fueran bélicos.

   _____

4.–5. La *labor* del arqueólogo es descubrir e investigar ruinas antiguas con la meta de comprender y de *indicar* las civilizaciones antiguas.

   _____

QUIZ B

PERIODISMO

Unas cartas

■ Dé la palabra que se define. (5 pts.)

1. la lista de letras del alfabeto _____

2. escribir en un papel _____

3. el deseo o la intención de hacer algo _____

4. mentir a alguien para trampearlo _____

5. informar o transmitir _____

QUIZ C

PERIODISMO

Los judíos en el Caribe

▪ Complete con una palabra apropiada. (5 pts.)

1. Los _____ son de origen hebreo.

2. Los árabes, los católicos, los nazis y muchos otros han _____ a los hebreos.

3. Los viernes por la tarde las familias hebreas observan unas ceremonias religiosas en su

   _____.

4.-5. Los hebreos van a la _____ los sábados para escuchar al maestro

   del culto, el _____.

CAPÍTULO

8

QUIZ A

ESTRUCTURA II

La voz pasiva

■ Cambie en la voz pasiva o la voz activa. (10 pts.)

1. El edificio fue destruido por el incendio.

   _____

2. Los esclavos labraron la tierra.

   _____

3. Los judíos fueron perseguidos por los cristianos.

   _____

4. Todos detestaban al déspota.

   _____

5. Los dos autores escribieron este libro.

   _____

CAPÍTULO
8

QUIZ B

ESTRUCTURA II

La voz pasiva con se

Completen con la voz pasiva con *se*. (5 pts.)

1. _____ boletos en la taquilla. (vender)

2. _____ mariscos en este restaurante. (servir)

3. _____ español en los países latinos. (hablar)

4. _____ seguir una dieta sana sin grasas. (recomendar)

5. _____ estacionar aquí entre las dos y las cuatro. (prohibir)

QUIZ C

ESTRUCTURA II

Los verbos que terminan en -uir

A Complete con el presente. (5 pts.)

1. El precio de esta habitación _____ el desayuno. (incluir)

2. Los pájaros _____ del fusil del cazador. (huir)

3. ¿_____ tú la música que toca mi vecino? (oír)

4. Los trabajadores y yo _____ un edificio en el centro. (construir)

5. El consumo de papel _____ los bosques. (destruir)

Complete con el pretérito de un verbo de la lista. (10 pts.)

construir   destruir   distribuir   leer   sustituir

1. Yo _____ los libros a mis alumnos.

2. Godzilla _____ los rascacielos (*skyscrapers*) de Tokio.

3. Los clientes en el restaurante _____ papas fritas por arroz.

4. ¿_____ tú las noticias en el periódico esta mañana?

5. Nosotros _____ un pozo en nuestro jardín.

QUIZ D

ESTRUCTURA II

La forma exhortativa con **nosotros**

█ Forme una oración. Use la forma exhortativa con *nosotros,* según el modelo. (10 pts.)

> **levantarse/ahora**
> *Levantémonos ahora.*

1. irse / en seguida

   _____

2. hablar / español

   _____

3. no / hablar / inglés en clase

   _____

4. comprarlos

   _____

5. ponerse / los zapatos

   _____

QUIZ A

LITERATURA

La bomba

■ Exprese de otra manera. (10 pts.)

1.–2. El soldado *es digno de* su medalla. Aunque habían *explosiones* por todas partes, él salvó a dos otros soldados.

_____

3.–5. El *guitarrista toma parte* en *batallas orales* de vez en cuando.

_____

QUIZ B

LITERATURA

Búcate plata

■ Complete con una palabra apropiada. (5 pts.)

1.-3. El niño tiene hambre. La madre le da _____ para comprar unas

_____ dulces que le gustan. Él _____

rápidamente a la tienda para comprarlas.

4.-5. El cartero tiene miedo de los perros. Cuando oye un ladrido no avanza; da un

_____ _____.

QUIZ C

LITERATURA

El prendimiento de Antoñito el Camborio en el camino de Sevilla

■ Paree. (10 pts.)

1. _____ el toro   **a.** el caballo

2. _____ el oro   **b.** circular

3. _____ el potro   **c.** el fruto del limonero

4. _____ el calabozo   **d.** el animal de la corrida

5. _____ la sangre   **e.** el metal precioso de color amarillo

6. _____ el tricornio   **f.** la prisión

7. _____ el limón   **g.** el líquido rojo que corre por las venas

8. _____ el arroyo   **h.** el sombrero del guardia civil

9. _____ redondo   **i.** el río pequeño

10. _____ la aceituna   **j.** la fruta del olivo

QUIZ D

LITERATURA

¡Quién sabe!

■ ¿Cierto o falso? Corrija las oraciones falsas. (5 pts.)

1. Una persona muy feliz tiene una mirada melancólica.

   _____

2. Una persona ignorante no es estúpida, pero no sabe mucho por falta de leer y aprender.

   _____

3. El obrero está sudando. Se ve que su trabajo es muy fácil.

   _____

4. En general el amo gana más que sus empleados.

   _____

5. Los agricultores labran la tierra para sobrevivir.

   _____

ANSWER KEY

CAPÍTULO 1

CULTURA

QUIZ A: *Lugares de interés turístico*

 A
1. c
2. e
3. a
4. d
5. b

B
1. pingüinos
2. pirámides
3. represa
4. ascendencia
5. disfrutan

CONVERSACIÓN

QUIZ B: *Un vuelo anulado*

1.-3 reembolsar, monto, deducir
4.-6. embotellamiento, autopista, tempestad
7.-10. prisa, perder, parada, demora

ESTRUCTURA I

QUIZ A: *El pretérito*

1. comimos
2. dio
3. vi
4. invitó
5. busqué
6. preparaste
7. abrieron
8. Bebieron
9. tocó
10. bailaron

ESTRUCTURA I

QUIZ B: *El pretérito de los verbos de cambio radical*

1.-2. frió, sirvió
3. sintió
4. durmió
5. murió
6. pidieron
7. sugirió
8. midió
9.-10. sonreí, repetiste

ESTRUCTURA I

QUIZ C: *El pretérito de los verbos irregulares*

1.-4. supe, tuvo, quise, puso
5.-8. estuvieron, anduvieron, pudieron, fue

9.-12. dije, traje, puse, pude
13.-15. fuimos, vino, condujo

PERIODISMO

QUIZ A: *San Ángel*

 A
1. ubicado
2. fotografías
3. prendedor
4. juguete
5. blusa

B
1.-2. dan una caminata, angosta
3.-4. dibujante, una caricatura
5. aretes

PERIODISMO

QUIZ B: *El AVE*

1. recorre
2. ruidosos
3. apetece
4.-5. aseo, inodoro

PERIODISMO

QUIZ C: *El tiempo*

 A
1. c
2. b
3. a
4. e
5. d

B
1. el granizo
2. la nevada
3. la tempestad
4. el cielo despejado
5. sopla

ESTRUCTURA II

QUIZ A: *La formación del subjuntivo*

1. coma
2. sirva
3. esté
4. durmamos
5. nos levantemos
6. dé
7. oigan
8. pidamos

9. saquen
10. diga
11. sepas
12. vuelvas
13. vaya
14. pierda
15. ponga

ESTRUCTURA II

QUIZ B: *El subjuntivo con expresiones impersonales*

1. haya
2. pronostiquen
3. haya
4. haga
5. sople

ESTRUCTURA II

QUIZ C: *El subjuntivo en cláusulas nominales*

1. suba
2. cambie
3. esté
4. tenga
5. paguemos

ESTRUCTURA II

QUIZ D: *Sustantivos masculinos que terminan en* a

1. la, el
2. los, la
3. el, del
4. el, la
5. El, del

ESTRUCTURA II

QUIZ E: *Sustantivos femeninos en* a, ha *inicial*

1.-2. El, las
3.-4. El, el, del
5.-6. El, el
7.-8. La, el
9.-10. Las

LITERATURA

QUIZ A: *¡Al partir!*

 1. No. El oído es el sentido de las orejas.
2. No. Se ven muchas estrellas por la medianoche.
3. Sí
4. No. El buque de vela es un medio de transporte muy antiguo.
5. Sí

 1. c
2. e
3. d
4. a
5. b

LITERATURA

QUIZ B: *El viaje definitivo*

 1. campanario
2. pozo
3. rincón
4. plácido
5. árbol

 1.-2. pájaros, huerto
3.-4. irme, quedarme
5. amas

LITERATURA

QUIZ C: *Turismo y cultura*

 1.-3. catedrático, otorga, aprobado
4.-5. el monumento, célebre

 1. e
2. d
3. a
4. c
5. b

CAPÍTULO
2

CULTURA

QUIZ A: *La vida diaria*

 1. entrenador
2.-3. llamas, ovejas (*either order*)
4.-6. siembra, riega, cosecha
7. chatarras
8. ama de casa
9. faenas
10. vecinos

CONVERSACIÓN

QUIZ B: *Planes para hoy*

 1. d
2. c
3. a

4. b
5. e

ESTRUCTURA I

QUIZ A: *El imperfecto*
Los verbos regulares

1. gustaba
2. íbamos
3. comprábamos
4. necesitábamos
5. preparaba
6. limpiaba
7. pelaba
8. rallaba
9. agregábamos
10. ponía
11. freía
12. comíamos
13. gustaba
14. era
15. quería

ESTRUCTURA I

QUIZ B: *El imperfecto y el pretérito*
Acción repetida y acción terminada

A 1.-2. hizo, hacía
3.-4. iba, fue
5.-6. salía, salió
7.-8. escribí, escribía

B 1. nadaba
2. iba
3. fueron
4. vimos
5. comí
6. llegaban
7. salíamos

ESTRUCTURA I

QUIZ C: *Dos acciones en la misma oración*

1.-2. estaba, llegó
3.-4. fueron, fui
5.-6. hacías, miraba
7.-8. preparaba, entró
9.-10. se levantaba, me despertaba

PERIODISMO

QUIZ A: *El servicio militar*

A 1. d
2. e
3. a
4. b
5. c

B 1.-2. La tropa, labor
3.-4. deja claro, en serio
5. mochila

PERIODISMO

QUIZ B: *El primer día de clases*

1. soñoliento
2. hojear
3. agridulce
4. cartera
5. aprendiza

ESTRUCTURA II

QUIZ A: *El subjuntivo con expresiones de duda*

A 1. se casen
2. integren
3. dará
4. recibirá
5. nieve

B 1. es
2. sabe
3. venga
4. pueda
5. tiene

ESTRUCTURA II

QUIZ B: *El subjuntivo con verbos especiales*

1. vuelva
2. llames
3. estudien
4. coma
5. hagamos

ESTRUCTURA II

QUIZ C: *El subjuntivo con expresiones*
de emoción

1. pueda
2. venga
3. llames
4. sepa
5. sean

LITERATURA

QUIZ A: *Sueños*

1. h
2. e
3. a
4. g
5. j
6. i

7. b
8. d
9. c
10. f

LITERATURA

QUIZ B: *Los otros madrileños*

 A 1.-2. da la lata, regaña
   3. guisa
   4. unta
   5. desprecian

B 1. el orgullo
   2. entretener
   3. un potaje
   4. la disculpa
   5. eructar

CAPÍTULO
3

CULTURA

QUIZ A: *El tiempo libre*

A 1. b
   2. d
   3. a
   4. e
   5. c

B 1. fiesta
   2.-4. mozos, boina, faja
   5. santo patrón

CONVERSACIÓN

QUIZ B: *El teatro*

1. acontecimiento (éxito de taquilla, gran éxito)
2. camerinos
3.-5. patio (orquesta), primer balcón, paraíso

ESTRUCTURA I

QUIZ A: *Verbos especiales con complemento indirecto*

1. les asustan
2. me enfurecen
3. le importa
4. te interesa
5. nos encanta

ESTRUCTURA I

QUIZ B: *Los verbos* gustar y faltar

 1. A mí me gusta cocinar.
2. A este guiso le falta sal.
3. A ti te gusta la paella.
4. A mis amigos y a mí nos gustan los desfiles.
5. A Julio y Jorge les faltan las mochilas.

ESTRUCTURA I

QUIZ C: Ser y estar

 1.-2. es, está
3.-4. están, son
5.-6. es, está
7.-8. son, están
9.-10. están, son

ESTRUCTURA I

QUIZ D: *Característica y condición*

1. es
2. es
3. es
4. es
5. es
6. está
7. está
8. está
9. está
10. somos

ESTRUCTURA I

QUIZ E: *Usos especiales de* ser y estar

1. h
2. c
3. j
4. b
5. g
6. a
7. i
8. e
9. f
10. d

ESTRUCTURA I

QUIZ F: Ser de

 1. es
2. está
3. es
4. Es
5. Es

ESTRUCTURA I

QUIZ G: *El imperativo*

A 1. Ve
2. vayas
3. Compra
4. seas
5. Pon

B 1. Estudien (Uds.). No hablen (Uds.).
2. No lea (Ud.) el libro. Ayude (Ud.) al alumno.
3. Abran (Uds.) los libros. No coman (Uds.) en clase.
4. Haga (Ud.) cola. No pierda (Ud.) la paciencia.
5. Tenga (Ud.) cuidado. No conduzca (Ud.) muy rápido.

PERIODISMO

QUIZ A: *El wind surf*

A 1. c
2. a
3. e
4. b
5. d

B 1. hacer calentamiento
2. la ola
3. lastimar
4. los ligeros
5. los novatos

ESTRUCTURA II

QUIZ A: Hace y hacía

1.-2. Hace tres horas que Juan está aquí.
3.-4. Hace cuatro años que yo estudio español.
5.-6. Hace ____ años que yo conozco a Carmelita.
7.-8. Hacía diez minutos que yo esperaba el autobús cuando empezó a nevar.
9.-10. Hacía tres meses que nosotros vivíamos en Nueva York cuando murió nuestra abuela.

ESTRUCTURA II

QUIZ B: Acabar de

1. Acabo de viajar...
2. Acabamos de visitar...
3. Acababan de comer...

4. ¿Acabas de hacer...?
5. Alfonso acababa de comer...

ESTRUCTURA II

QUIZ C: *Los uso des imperfecto del subjuntivo*

1. viniera
2. pudiera
3. viniera
4. se quedara
5. cerraran
6. supieran
7. fueran
8. viajara
9. visitara
10. tuviéramos

ESTRUCTURA II

QUIZ D: *El subjuntivo con expresiones indefinidas*

1. hagas
2. prepares
3. vuelvas
4. desee
5. vayas

ESTRUCTURA II

QUIZ E: *El subjuntivo en cláusulas relativas*

1. pueda
2. puede
3. sea
4. cocine
5. exista

LITERATURA

QUIZ A: *El tango*

1. disfrutaron
2. de la boda
3. idolatran
4. muchos recuerdos
5. alejarse
6. una orquesta
7. un cantor (cantante)
8. el bandoneón
9. La banda
10. La danza

LITERATURA

QUIZ B: *Mi adorado Juan*

1. casarse
2. fastidia
3. holgazán
4. impermeable
5.-6. ruega, se callen
7. oficio
8. recado
9. sonriente
10. marcharme

CAPÍTULO

4

CULTURA

QUIZ A: *Eventos y ceremonias*

1. a	4. c	7. b	10. c
2. b	5. a	8. c	
3. b	6. c	9. a	

CONVERSACIÓN

QUIZ B: *Ceremonias familiares*

1. el camposanto
2.-3. La viuda, acompañamiento
4. la tumba familiar
5. El traje de novia

ESTRUCTURA I

QUIZ A: *El futuro*
Verbos regulares

1. viajaremos
2. compraré
3. costarán
4. será
5. recibirán
6. aprenderá
7. verán
8. irás

ESTRUCTURA I

QUIZ B: *El futuro*
Formas irregulares

1. vendrá
2. sabrán

3. dirá
4. querré
5. podrás
6. tendremos
7. pondrá
8. hará
9.-10. saldrán, saldrá

ESTRUCTURA I

QUIZ C: *El condicional o potencial*
Formas regulares e irregulares

1.-2. compraría, comprarías
3.-4. haría, harían
5. vendría
6. diríamos
7. escribiría
8.-9. Irías, Tendrías
10. comería

ESTRUCTURA I

QUIZ D: *Oraciones indirectas*

1. estaré
2. llegaría
3. querría
4. vendría
5. tendremos

ESTRUCTURA I

QUIZ E: *Los pronombres de complemento*
directo e indirecto

A 1. Mi novio me escribió una carta.
2. Nuestros padres nos enviaron una tarjeta postal.
3. El cartero me dio la carta.
4. La empleada me habló del correo.
5. La señora nos dijo la dirección.

B 1. la
2. le
3. Los
4. Les
5. Lo

ESTRUCTURA I

QUIZ F: *Dos complementos en la misma oración*

1. Gustavo se lo compró.
2. La profesora nos lo explicará.
3. Mi amigo me la dijo.
4. Yo te los daré.
5. El cajero se las da.
6. La madre se la pidió.
7. Sus padres se los compraron.
8. El mesero se la sirve.

PERIODISMO

QUIZ A: *La boda de Chábeli*

- **1.-2.** El primogénito, de la pareja
- **3.** confeccionado
- **4.-5.** posee, habilitada
- **6.** alianzas
- **7.** suscitó
- **8.** constaba de
- **9.** se fundieron
- **10.** impedimento

PERIODISMO

QUIZ B: *Anuncios sociales*

A
1. obsequió
2. el bisnieto
3. heredero
4. abnegada
5. festejo

B
1. el ave picuda (la cigüeña)
2. allegado
3. degustar
4. la extinta
5. los concurrentes

ESTRUCTURA II

QUIZ A: *El subjuntivo en cláusulas adverbiales*

1. degustáramos
2. esperemos
3. supiéramos
4. acompañara
5. supiera

ESTRUCTURA II

QUIZ B: *El subjuntivo con conjunciones de tiempo*

1. lleguemos
2. tengamos
3. saliéramos
4. llegamos
5. empezó

ESTRUCTURA II

QUIZ C: *El subjuntivo con* aunque

1. es
2. cueste
3. nieve
4. llueve
5. venga

ESTRUCTURA II

QUIZ D: *El subjuntivo con* quizás, tal vez y ojalá

1. llame
2. invite
3. haya
4. comamos
5. salgamos

ESTRUCTURA II

QUIZ E: *La colocación de los pronombres de complemento con el infinitivo y el gerundio*

1. Alicia está escribiéndola.
2. Ella está escribiéndosela.
3. Ella va a enviársela hoy.
4. Alicia va a comprarlos en el correo.
5. Alicia va a decírsela.

ESTRUCTURA II

QUIZ F: *Los pronombres de complemento con el imperativo*

1. Escúchale.
2. No nos lo explique Ud.
3. Désela Ud.
4. Dísela.
5. No se la compres.
6. Léaselo Ud.
7. No se los sirva Ud.
8. Escríbesela.

LITERATURA

QUIZ A: *El niño al que se le murió el amigo*

1. c
2. d
3. e
4. a
5. b

LITERATURA

QUIZ B: *En paz*

A
- **1.-3.** abejas, miel, flores
- **4.** faz (cara)
- **5.** acaricia

1. el ocaso
2. la hiel
3. inmerecido
4. las lozanías
5. rudo

CULTURA

QUIZ A: *Acontecimientos históricos*

1.-2. un navegante renombrado
3.-4. una flotilla carabelas
5.-6. el apoyo imprescindible
7. una corona
8.-9. desembarcó, bandera
10. redondo

CONVERSACIÓN

QUIZ B: *Un crimen*

1.-2. carterista, bolsillo
3. empujar
4. cartera
5. comisaría

ESTRUCTURA I

QUIZ A: *El presente perfecto*

1. ha frito
2. ha roto
3. hemos comido
4. han escrito
5. has dicho
6. he viajado
7. han hecho
8. han descubierto
9. ha visto
10. ha puesto

ESTRUCTURA I

QUIZ B: *Las palabras negativas y afirmativas*

1. No vi a nadie en la sala de clase.
2. La profesora no está escribiendo nada en la pizarra.

3.-4. Los alumnos no tienen ni un lápiz ni un bolígrafo.
5. Nadie está hablando con la profesora.
6. Alicia no tiene ninguna amiga buena.
7.-8. Ella nunca sabe la respuesta y yo no la sé tampoco.
9.-10. Ella nunca tiene ninguna idea de lo que pasa.

ESTRUCTURA I

QUIZ C: Sino y pero

1. sino
2. pero
3. sino
4. sino
5. pero

PERIODISMO

QUIZ A: *Los titulares*

1.-2. el docente, infarto
3.-4. reducir, el riesgo
5.-7. colectivo, buque, subterráneo
8.-9. del paro, demoras
10. fracasarán

PERIODISMO

QUIZ B: *Los sucesos*

1. el maleante
2. apoderarse
3. el marino
4. sobrepasar
5. la ola

ESTRUCTURA II

QUIZ A: *El pluscuamperfecto*

1. había dicho
2. había dado
3. llegó
4. había descubierto
5. fundaron

ESTRUCTURA II

QUIZ B: *El condicional perfecto*

1. habría llamado
2. habríamos escrito
3. habrían ido

4. habría hablado
5. habría dado

ESTRUCTURA II

QUIZ C: *El futuro perfecto*

1.-2. habré leído, habré escrito
   3. habremos ido
4.-5. habrás visto, habrás aprendido

ESTRUCTURA II

QUIZ D: *Los adjetivos apocopados*

1.-2. gran, grande
3.-5. San, Santa, Santo
   6. cien
7.-8. primera, tercer
9.-10. buen, mal

ESTRUCTURA II

QUIZ E: *El sufijo -ísimo(a)*

1. dificilísimo
2. malísima
3. inteligentísimos
4. grandísimo
5. divertidísima

LITERATURA

QUIZ A: *Un romance y un corrido*

1. Falso. El rey vivía en el alcázar elegante.
2. Cierto.
3. Falso. El edificio se llama una mezquita.
4. Falso. Un sargento les grita a los soldados.
5. Cierto.

CAPÍTULO
6

CULTURA

QUIZ A: *Los valores*

1.-2. gira, eje
3.-5. recogerle, compartir, hacernos cargo
   6. parentesco
   7. un ascenso

8.-10. mendigo, recursos, trapos

CONVERSACIÓN

QUIZ B: *El que invita paga*

1. agradar
2. dar vergüenza
3. adivinar
4. el pelado
5. jugar a las monedas

ESTRUCTURA I

QUIZ A: *Usos especiales del artículo*
El sentido general

1. El
2. Los
3. las
4. La
5. Los

ESTRUCTURA I

QUIZ B: *El artículo*

1. x
2. x
3. x
4. la
5. el
6. El
7. la
8. x
9. la
10. x

ESTRUCTURA I

QUIZ C: *El artículo con los días de la semana*

1. los
2. Los
3. los
4. los
5. El

ESTRUCTURA I

QUIZ D: *El artículo con los verbos reflexivos*

1. la
2. los
3.-4. las, los
   5. el

ESTRUCTURA I

QUIZ E: *El artículo indefinido*

1. x
2. una
3. x
4. x
5. una

ESTRUCTURA I

QUIZ F: *Los pronombres con la preposición*

1.-2. tigo, migo
3. ti
4. ellos
5. nosotros

PERIODISMO

QUIZ A: *Una carta al director*

A 1.-2. presupuesto, inflexible
3. perpleja
4. bondad
5. terminantemente

B 1. el carné
2. la devoción
3. la distancia
4. permitir
5. cobrar

PERIODISMO

QUIZ B: *La influencia de la familia*

A 1. casta
2.-3. corre, venas
4.-5. meta, afición

B 1. b
2. a
3. a
4. b
5. a

ESTRUCTURA II

QUIZ A: *El presente perfecto del subjuntivo*

1. hayas venido
2. haya comprado
3. hayan hecho
4. haya visto
5. hayamos hecho

ESTRUCTURA II

QUIZ B: *El pluscuamperfecto del subjuntivo*

1. hubieras sabido
2. hubiera estado
3. hubiera venido
4. hubieran leído
5. hubiera escrito

ESTRUCTURA II

QUIZ C: *Cláusulas con* si

1. estuviera
2. habríamos alquilado
3. va
4. escribiría
5. haré
6. hubieran encontrado
7. hubieras pedido
8. quieres
9. habría viajado
10. tuviera

ESTRUCTURA II

QUIZ D: El mío, el tuyo, el suyo, el nuestro y el vuestro

1.-2. Tengo las mías. ¿Dónde están las tuyas?
3.-4. Encontré el tuyo en la mesa y encontré el mío en el suelo.
5.-6. El nuestro es nuevo y el suyo es viejo.
7.-8. La tuya está sucia y la nuestra está limpia.
9.-10. Los míos no son tan grandes como los suyos.

ESTRUCTURA II

QUIZ E: El suyo, la suya, los suyos y las suyas

1.-2. José y Carlos tienen los suyos y los de ella.
3.-4. Rodrigo busca la suya y las de él.
5.-6. Adelita necesita el suyo y el de ellos.
7.-8. Mi padre come el suyo y el de ella.
9.-10. El niño abre las suyas y la de ella.

ESTRUCTURA II

QUIZ F: *Los pronombres demostrativos*

A 1.-2. éste, ése
3.-4. aquéllas, éstas
5. Ésos

B 1. éste
2. ése
3. aquél
4. ése
5. Aquél

LITERATURA

QUIZ A: *Zalacaín el Aventurero*

 A 1. la villa
2. Habitamos
3. un caserío
4. pertenece a
5. viudo
6. soltero
7. cementerio
8. atravesar
9. asustaba
10. sueño con

 B 1. el cartelón
2. la piedra
3. el tejado
4. el odio
5. adivinar

LITERATURA

QUIZ B: *Mi padre*

 A 1. mentón
2. cicatriz
3. escalofrío
4. aliento
5. envidiaba

 B 1. el temor
2. un cobarde
3. una hazaña
4. a hurtadillas
5. aturdido(a)

CAPÍTULO
7

CULTURA

QUIZ A: *Estadísticas sobre la salud*

 1. enfermera
2. inscribir
3. estatal
4. médicas
5. diaria

CONVERSACIÓN

QUIZ B: *La salud*

 1. tomar una radiografía
2. tomar el pulso
3. tomar una muestra de sangre
4. tomar la tensión arterial
5. un examen médico

ESTRUCTURA I

QUIZ A: *El comparativo y el superlativo Formas irregulares*

 1.-2. más grande, más pequeño
3.-4. más grande, más pequeña; mayor, menor
5.-6. la mejor, el peor
7.-8. mejor, peor
9.-10. mejor, peor

ESTRUCTURA I

QUIZ B: *El comparativo de igualdad*

 1. tanta... como
2. tan... como
3. tantos... como
4. tanto... como
5. tan... como

ESTRUCTURA I

QUIZ C: *Los verbos reflexivos Formas regulares*

 1. se despierta
2. despierta
3. se viste
4.-5. se lava, se cepilla
6. viste
7.-8. cepilla, lava
9. se desayunan
10. se despiden

ESTRUCTURA I

QUIZ D: *El sentido recíproco*

 1.-2. se ven, se escriben
3. nos queremos
4. nos conocimos
5. se ayudaron

PERIODISMO

QUIZ A: *Salud estudiantil*

 1. aula
2. cantina (cafetería)
3. docentes
4. vajilla
5. envase

PERIODISMO

QUIZ B: *La dieta*

1. el pescado
2. la ternera
3. los camarones
4. el pellejo
5. la ración

PERIODISMO

QUIZ C: *La contaminación por el ruido*

 1. b
2. a
3. d
4. a
5. c

 1.-3. sordo, destrozó, audición
4. aumentan
5. ruido

ESTRUCTURA II

QUIZ A: *El pronombre relativo* que

1. El señor que conduce el coche rojo es mi padre.
2. Este examen que estamos tomando es bastante difícil.
3. El profesor de quien María habla es muy estricto.
4. El bolígrafo con que el presidente firma el documento es de oro.
5. Aquí están mis amigos con quienes he viajado por España.

ESTRUCTURA II

QUIZ B: El que, la que, los que y las que

1. La que
2. la que
3. El que, El que
4. las que
5. la que

ESTRUCTURA II

QUIZ C: Lo que, cuyo

1. lo que
2. cuya
3. lo que
4. Lo que
5. cuyo

ESTRUCTURA II

QUIZ D: Por y para

1.-2. para, para
3. para
4.-5. para, para
6. por
7. por
8.-9. por, para
10. por

ESTRUCTURA II

QUIZ E: Por y para *con expresiones de tiempo*

1.-2. Para, Para
3.-5. para, por, por

ESTRUCTURA II

QUIZ F: Por y para *con el infinitivo*

1. por
2. para
3. por
4. para
5. para

ESTRUCTURA II

QUIZ G: *Otros usos de* por y para

1. para
2. por
3. por
4. por
5. Para
6. por
7. por
8. por
9. por
10. por

LITERATURA

QUIZ A: *Un día de éstos*

 1. e
2. a
3. b
4. d
5. c

 1.-2. hinchada, del gabinete
3.-4. se apresura, amanece
5. un dentífrico

LITERATURA

QUIZ B: *La tía Julia y el escribidor*

 A 1. soga
2. pesas
3. copa
4. planta
5. árbol

 B 1.-2. palmeó, flaco
3.-4. galeno, vientre
5. cotidiano

CAPÍTULO 8

CULTURA

QUIZ A: *La herencia etnocultural de los hispanos*

 A 1. e
2. j
3. f
4. g
5. h
6. c
7. i
8. a
9. b
10. d

 B 1. el/la esclavo(a)
2. el quechua (el aymará)
3. la corona
4. el impulso
5. musulmán(a)

CONVERSACIÓN

QUIZ B: *Las lenguas indígenas*

 1.-3. reconocer, opresor, influir a
4.-5. Mis bisabuelos, británicos
6.-8. autóctona, viviendas, maya-quiché
9. alfabetiza
10. étnico

ESTRUCTURA I

QUIZ A: *El participio presente*

 1.-2. estaba leyendo, está leyendo
3. está durmiendo
4. está pidiendo
5. está explicando

ESTRUCTURA I

QUIZ B: *Los adverbios que terminan en -mente*

 1. tristemente
2.-3. clara, respetuosamente
4. puntualmente
5. rápidamente

PERIODISMO

QUIZ A: *Los mayas*

 1. desarrolló
2. auge
3. pacíficos
4.-5. tarea, señalar

PERIODISMO

QUIZ B: *Unas cartas*

 1. la cartilla
2. anotar
3. la voluntad
4. engañar
5. comunicar

PERIODISMO

QUIZ C: *Los judíos en el Caribe*

 1. judíos
2. perseguido
3. hogar
4.-5. sinagoga, rabino

ESTRUCTURA II

QUIZ A: *La voz pasiva*

 1. El incendio destruyó el edificio.
2. La tierra fue labrada por los esclavos.
3. Los cristianos persiguieron a los judíos.
4. El déspota era detestado por todos.
5. Este libro fue escrito por los dos autores.

ESTRUCTURA II

QUIZ B: *La voz pasiva con* se

1. Se venden
2. Se sirven
3. Se habla
4. Se recomienda
5. Se prohíbe

ESTRUCTURA II

QUIZ C: *Los verbos que terminan en* -uir

 A
1. incluye
2. huyen
3. Oyes
4. construimos
5. destruye

B
1. distribuí
2. destruyó
3. sustituyeron
4. Leíste
5. construimos

ESTRUCTURA II

QUIZ D: *La forma exhortativa con* nosotros

1. ¡Vámonos en seguida!
2. ¡Hablemos español!
3. ¡No hablemos inglés en clase!
4. ¡Comprémoslos!
5. ¡Pongámonos los zapatos!

LITERATURA

QUIZ A: *La bomba*

1.-2. merece, bombazos
3.-5. tocador, se mete, bombas

LITERATURA

QUIZ B: *Búcate plata*

1.-3. plata (dinero), galletas, corre
4.-5. paso atrás

LITERATURA

QUIZ C: *El prendimiento de Antoñito el Camborio en el camino de Sevilla*

1. d
2. e
3. a
4. f
5. g
6. h
7. c
8. i
9. b
10. j

LITERATURA

QUIZ D: *¡Quién sabe!*

1. Falso. Una persona muy triste tiene una mirada melancólica.
2. Cierto.
3. Falso. Se ve que su trabajo es muy difícil.
4. Cierto.
5. Cierto.